現場で見つけた144のヒント

アジャイルに困った時に読む本

渡会 健

ダイヤモンド社

はじめに

　もともとソフトウェア開発から始まったアジャイルという言葉は、今やプロダクト開発にとどまらずビジネス全般のアプローチとして定着しつつあります。にもかかわらず、アジャイルを導入してみたけれども期待していた効果が得られない、経営者の理解が得られない、続けられない、といった声が後を絶ちません。その背景には、アジャイルに対する理解不足や、用語やツールだけが一人歩きしたことから生じた誤解などさまざまな要因があります。私が本書を執筆した動機には、「アジャイルをやってみようと思った人が、そんな理由でアジャイルを諦めてしまうのはもったいない」という思いがあります。
　私自身は、アジャイルに出会う前は、約20年にわたってウォーターフォールの開発プロジェクトをいくつも経験して、プロジェクトマネージャーの役割も担ってきました。ウォーターフォールでは、権限と意思決定は全てプロジェクトマネージャーに集中するため、非常に負荷が大きくなります。プロジェクトマネジメントの楽しさとやりがいを感じつつも限界を感じていたとき（2008年）に、アジャイルに出会い、「これはすごそうだ」と直感したのです。

「アジャイルは働き方を根本的に変え、関わる人が皆笑っていられるようにきっとできる」という思いが生まれました。
　その思いを実現するため、当時既に40代半ばではありましたが、大手SIerからプロジェクトマネジメント系のコンサルティングファームという、それまでのキャリアをいったん捨て、アジャイル開発を実践できそうな独立系の中堅SIerに転職しました。その会社もアジャイルを取り入れていたわけではなかったので、これまでのプロマネ経験を活かして社内の信用を勝ち取り、当時出ていた書籍などを読み漁り、見よう見真似で自力でアジャイルを導入しました。
　実際にやってみると、チームメンバー全員が対等になり、皆で話し合いながら短期間で成果物がどんどん出てきて、働いている人が皆楽しんでいると実感しました。お客さまも全ての要件を確定できない段階から開発を始められ、かつ状況に応じて要件を変更できるので、結果的により自分たちの欲しいものを手に入れられて喜んでいました。そのSIerでは10年弱で20案件程実践を繰り返し、多くの経験を得ました。多くの人にこの楽しさと経験を伝えたいと、2014年から日本最大のアジャイル系カンファレンスであるAgile Japanでの情報発信をさせていただくようになりました。

そうすると中堅Slerの管理職の立場を超え、個人としてアジャイルコーチやアジャイルの研修講師をしてほしいという依頼が増え、活動の幅を広げてきました。その中で、PMI日本支部のアジャイル研究会に所属し、一時は会長職を務めさせていただきました。また、2017年からはIPAのアジャイルWGに有識者としてお声がけいただき、2023年現在もその活動を続けさせていただいております。

そのせいで、当時所属していた会社にご迷惑がかかるほど、個人ベースでの仕事が増えてしまいました。そこで現在では、活動の場を「Managementの力で、社会のHappinessに貢献する」というミッションを掲げた株式会社マネジメントソリューションズに移して、普通の人がアジャイルを実践し、楽しく働ける社会の実現を目指しています。

アジャイルコーチという立場に転身してからはさらに多くの案件に関わるようになり、現在では関わった案件はSIer時代を含めて50を超えました。この多くの現場経験こそが私の財産となっております。その財産を再現性をもって使いこなせるアジャイルの専門家集団を作るという夢を今は追いかけています。

本書には、この多くの現場経験から得た「理論」や「理想」だけではない、実際に実践したからこそ見えてきた「現実」に役立ったヒントをできるだけ多く詰め込みました。特に、私のバックボーンである「マネジメント視点でのアジャイル」という要素を多く取り入れています。頭から通して読んでいただいても良いですし、目次を見てご自分が困っていると思うところからつまみ食いのように読んでみていただいても良いと思います。まったく同じ状況は存在しないかもしれませんが、少しでもこれらのヒントを使ってアジャイルで働く楽しさを感じてほしいと願っています。

アジャイルに困った時に読む本
CONTENTS

10分で読むアジャイルの概要

本題に入る前に、「アジャイルとは何か」について、この先を読み進めていただくために必要な言葉や概念、アジャイルが誕生した背景を簡単に説明しておきます。アジャイルの概要を理解されている方は、読み飛ばしていただいても構いません。逆に、本節の内容だけでは足りない場合は、筆者も関わって作成したIPAのITSS+（プラス）アジャイル領域（https://www.ipa.go.jp/jinzai/skill-standard/plus-it-ui/itssplus/agile.html）で無償公開されているコンテンツ群をご覧になり、補ってください。

アジャイルソフトウェア開発の誕生

そもそもアジャイルは、ソフトウェア開発のためのアプローチとして誕生しました。少し歴史を振り返ってみましょう。

アジャイルソフトウェア開発誕生の背景には、コンピューターの進化とシステム開発手法の変遷があります。1970年代に企業の基幹システムに導入され始めたメインフレームと呼ばれる大型コンピューターは、今と比べればまだ、それほど能力が高くありませんでした。プログラムは０と１を並べたマシン語で記述され、「コンピューター職人」と呼ばれるプログラマーがプログラムの設計からテストまで１人で行うのが普通でした。

やがて徐々にメインフレームの能力が上がってくると、コンピューターにさせる仕事が増えてきました。ただ、当時のメインフレームの利用料はとても高額であり、コスト削減のためにはコンピューターを動かす前に、プログラムが間違いなく動くことを机上で検討する必要がありました。また、プログラムの規模が大きくなり、１人でプログラムを作るのが難しくなってきた1980年代には、複数の人間が分担して、複数のプログラムが連動して正しく動くシステムを開発するために、「ソフトウェア全体の設計を固め、分担してプログラムを製造し、最後にそれらをつないでテストする」という、開発プロセスをフェーズごとに分業して行うやり方が生まれてきました。

1980年代から1990年代前半頃までのシステム開発のプロジェクトは、５年、10年といった長期のプロジェクトが当たり前でした。当時はIT技術の進化も緩やかで、ビジネス環境の変化そのものが今よりも少なかったので、時間をかけて綿密な計画を立て、時間をかけて計画通りに実装することが、大規模なシステムを動かすためには最も効率の良い方法だったのです。

大規模なソフトウェアを開発するためには、多くの人員を投入する必要があります。「設計、製造、テスト」と、フェーズごとに大勢の人員を動かすプロジェクトマネジメントのお手本になったのが、大手ゼネコンが元請けとなり、多重下請け構造でフェーズごとに専門の事業者に作業を委託し管理する建設業界です。同様に、システム開発でも大手SIerが元請けとなってユーザー企業の発注を受け、フェーズごとに下請け会社に作業を任せていく開発手法がスタンダードになりました（以後、この手法を「従来型開発」と呼びます）。メインフレームの普及とシステムの大規模化に伴い、開発を担える人材は不足していました。フェーズごとに人が入れ替わる従来型開発は、社会人になったばかりの新人を、担当するフェーズだけをこなせる最低限の教育で即戦力として投入できる点でも都合が良かったのです。

一方で、1990年代後半からのPCやインターネットの急速な普及により、低価格で性能の良いコンピューターが手軽に利用できるようになりました。そこで動作するソフトウェアは、メインフレームで動作するソフトウェアのように長い期間と高額な予算をかけて開発する大規模なものではなく、期間でいえば１年程度、予算でいえば数億円から数千万円規模の比較的「軽い」ものであることが求められました。しかし、従来型開発では、短期間で小規模なソフトウェアを効率よく作るためには少し「重すぎた」のです。そこで軽量なソフトウェアの開発により適したやり方として、「スクラム」「エクストリーム・プログラミング（XP）」などさまざまなアプローチを提唱する人が出てきました。

2001年、これらの新しいアプローチを提唱した17人の開発者たちが集まり話し合って、共通する価値とそれを実現するための原則をまとめました。これが「アジャイルマニフェスト」です。こうして、「アジャイル」という名称は、短期間で動くソフトウェアを開発するためのやり方の総称として誕生しました。

2000年以降のインターネットの普及と高速化は、ビジネスのグローバル化とIT化を加速しました。短期間で動くソフトウェアを開発する「アジャイルソフトウェア開発」は、ビジネス環境の急速な変化に対応するための開発アプローチとしても有用です。そしてVUCA*の時代と言われる今、開発アプローチとしての「アジャイル開発」はソフトウェア開発だけではなく、さまざまなプロダクトの開発に、そしてビジネス全般に適用できるアプローチとしても注目されているのです。

＊VUCA＝Volatility（変動性）・Uncertainty（不確実性）・Complexity（複雑性）・Ambiguity（曖昧性）の頭文字を取った造語。変化が激しく先の見通しが立てにくく、今までのやり方が通用しない状況を指す

従来型開発とアジャイル開発の違い

「アジャイル開発」の特徴を明らかにするために、「従来型開発」と３つの観点で比較してみましょう。

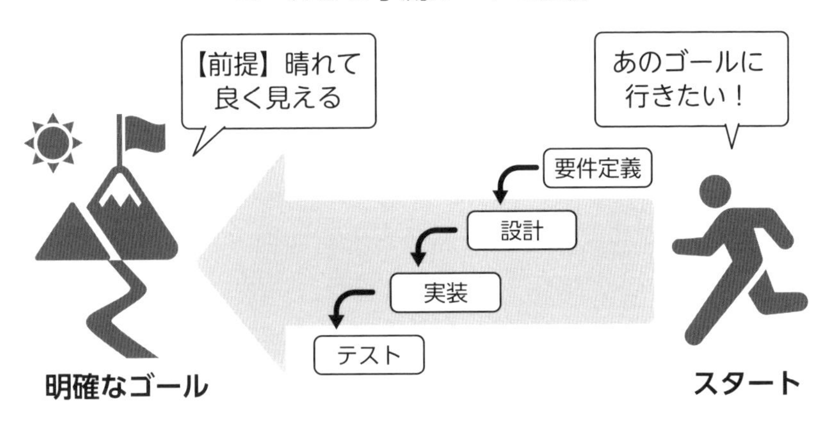

予測型アプローチ（ウォーターフォール）

1．アプローチの観点

従来型開発は、要件定義が完了したら設計、設計が完了したら実装、実装が完了したらテストと、フェーズごとに順を追って進めます。水が上から下へ流れるように、上流工程から下流工程に一方通行で進むことから、「ウォーターフォール」とも呼ばれます。プロジェクトマネジメントのグローバルデファクトスタンダードとなっているPMBOK®（Project Management Body of Knowledge）では、ウォーターフォールを「予測型アプローチ」と呼んでいます。

ウォーターフォールの前提となるのは、明確なゴールとそこまでの道筋が予測できることです。ゴールが明確だからルートも所要時間も予測可能で、計画を立て、逆戻りせず計画通りに進めることで、最も早く効率的にゴールにたどり着くことができます。そのために、場合によっては、プロジェクト完了までの計画の作成にプロジェクト期間の半分近くを費やすこともあります。

一方アジャイル開発は、プロジェクトの完了まで見通した計画を最初の段階で一気に立てたりしません。代わりに、スタート直後から仮説に基づく、見通しの利く短い期間の計画を立てて実行し、素早くアウトプットを

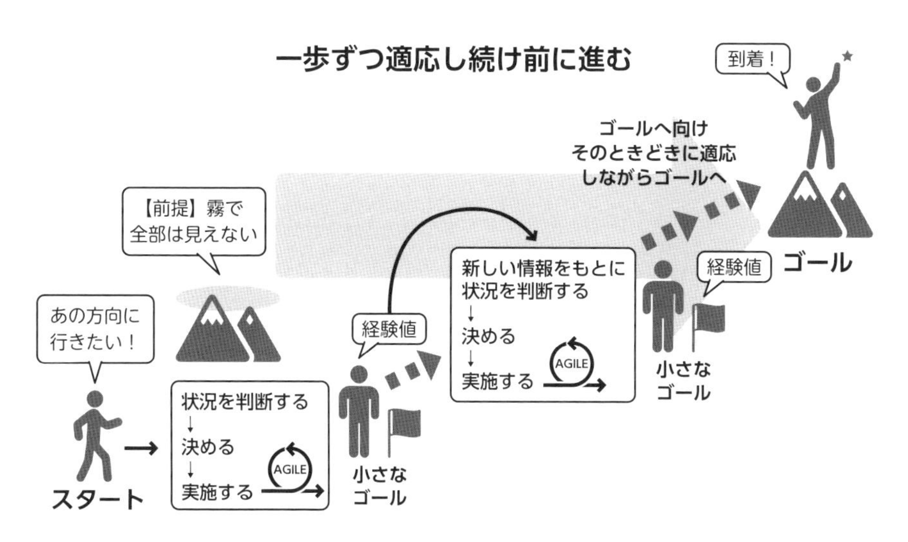

適応型アプローチ（アジャイル）

作って検証します。このループによって、直近の目標をクリアしながら軌道修正を繰り返し、ゴールに到達するアプローチを取ります。PMBOK®では「適応型アプローチ」と呼んでいます。

ゴールである山頂までは見通せなくても山の麓までは道がわかるのであれば、まずはそこまで行く。麓に到着したら、山の中腹に見える目印を次のゴールに設定して、そこに着くまでの自分たちの体力や所用時間を経験値として考慮し、この時点で知り得た新しい情報を取り込んで、都度、新たに計画を立てて向かう。一気に最終ゴールを目指す大きな計画を立てるのではなく、小さい計画を繰り返して少しずつ前進することで、そのときどきの状況に適応しながらゴールである山頂に到着できます。

2．ビジネスの観点

ビジネスの観点とは、言い換えると「開発した成果物（ここでは、プロダクトやソフトウェアなどの総称）が、いつ、どのような利益をもたらすのか」です。例として、10億円の売上を得るための成果物を作るプロジェクトを考えてみましょう。

従来型開発でこのプロジェクトを進める場合、最初に、10億円の売上を上げるためのアイデアを検討します。10個のアイデアに対して成果物に必要な機能や動きなどを要件として定義したら、10個のアイデアを実装するための設計、開発、テストをフェーズごとに順番に、それぞれのフェーズ内では横並びで行います。

プロジェクトの最後に結合テストが完了したところで、10個のアイデアを実現する成果物が完成します。市場に出して初めて、最初に目標としていた10億円の売上が得られるかどうかがわかります。

一方、アジャイル開発の場合は、アイデアを10個出したらそれに「実現すると儲かる可能性の高い順」に優先順位をつけます。そして、一番優先順位の高いアイデアを１つだけ実現する成果物を作ってリリースします。実際に動く成果物なので市場に出すことができ、10億円のうちの一部の売上を上げることができます。

次に、２番目のアイデアを実現する成果物を作り、最初の成果物とマージして１つにします。新しい成果物が１番目と２番目のアイデアの両方を

ウォーターフォールの場合

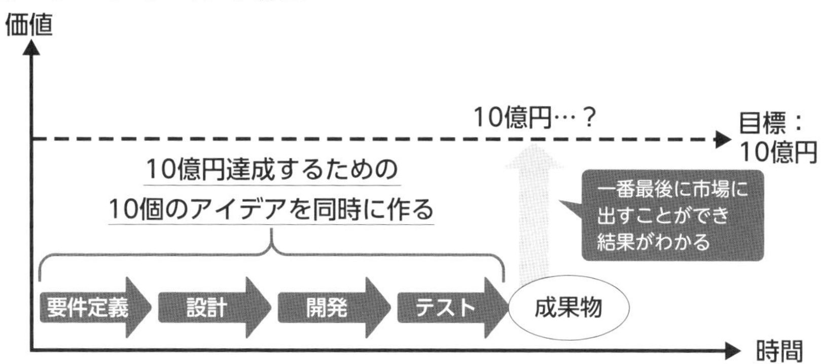

アジャイルの場合

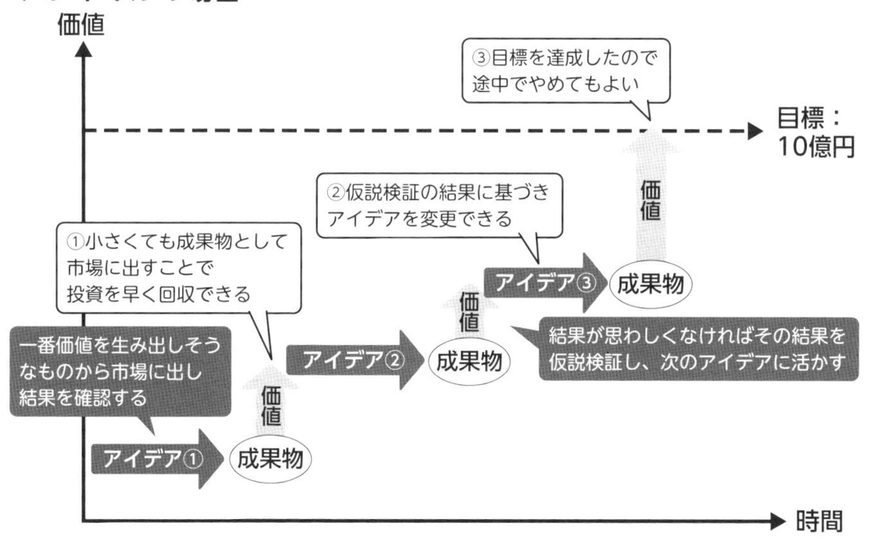

ビジネス観点におけるアジャイルとウォーターフォールの違い

実現することを確認し、リリースします。こうして順番につけ加えていくことには、3つの利点があります。

1つ目の利点は、プロジェクト期間の途中で成果物をリリースできるので、ROI（投資収益率）を短期間で向上させながら開発を続けることができます。従来型開発ではプロジェクトが終了して初めてリリースが行われ売上が発生するので、それまでの期間は完全に投資は持ち出しとなります。

２つ目の利点は、仮説を検証しながら積み上げ、ムダなものを作らず効率的に目標を達成できることです。たとえば２番目のアイデアまでリリースしても思ったほど売上が伸びなかった場合は、３番目のアイデアを見直したり、新しいアイデアと入れ替えたりして、次は、より儲かる可能性の高い成果物をリリースできます。

３つ目の利点として、そうしてリリースを繰り返していると、当初予定していた10のアイデアを全部実装しなくても目標の10億円の売上を達成できるかもしれません。そうなったら、プロジェクトを途中で終了してしまえば良いのです。「目標を達成したら途中でやめても良い」のは、従来型開発とアジャイル開発の大きな違いです。

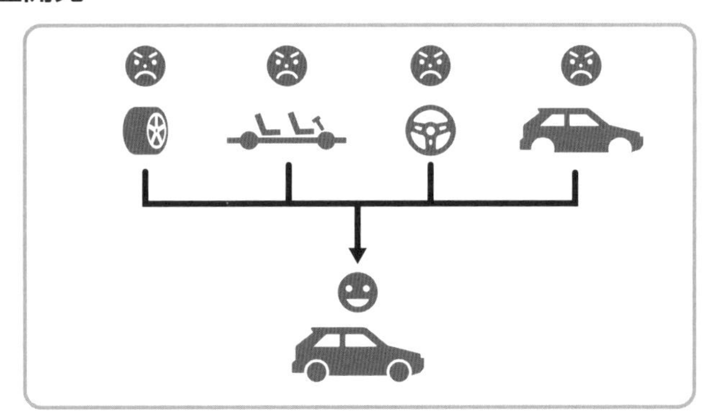

モノづくりの観点におけるアジャイルと従来型の違い

3．モノづくりの観点

アジャイル開発の「儲かる機能から実装して少しずつつけ足していく」作り方は、従来型開発の「最後に一度に結合するリスク」を分散させます。

自動車の開発を例に説明します。

従来型開発であれば、全体を設計してから、設計書をもとにタイヤ、エンジン、シャーシ、ボディなどのパーツそれぞれの開発を並行して行います。全てのパーツのチェックが完了して正しくできていることを確認した後で、それらを結合して自動車として安全に利用できるかどうかをテストします。量産の段階ではなく開発の段階では、テストは一度ではうまくいかないのが当然で、動かすためには何カ所も修正する必要があります。どのパーツに問題があるのか、切り分けるのが大変ですし、場合によっては設計からやり直す必要があります。また、どれか１つのパーツでも開発が遅れると、全体の完成も遅れます。開発の途中でできあがるパーツはそれだけでは利用者にとって価値がなく、価値ある成果物を得るためには最後に自動車が完成するのを待たなくてはいけません。

対して、アジャイル開発では、まず「開発しようとしている乗り物はどのような価値を実現するのか」から発想します。「移動を楽にするため」であれば、そのために素早く実装できる成果物として、「上に乗って車輪で動けるもの」としてスケートボードをまず作り、動作を確認してリリースします。次のステップでは、「方向を安全に変えられる」価値をつけ足すために、スケートボードにハンドルをつけて動くことを確認し、リリースします。その次は「座って移動できる」価値を足し、「動力で動く」価値を足し、「転ばず安定して動ける」価値を足し、最終的に自動車をリリースします。それぞれの段階ごとに必ず動くことが確認されているので、常に最新のリリースが「移動を楽にする」価値を提供する、品質の担保された成果物になります。

アジャイル開発のプロセス

さまざまなアジャイル開発のアプローチは、後述するアジャイルマニフェストに記された価値と原則を具体的な方法に落とし込んだものです。アジャイル開発の代表的なプロセスを、「誰がやるのか」「何を作るのか」

本書での用語	スクラム用語
アジャイルチーム	スクラムチーム
スクラムマスター プロダクトオーナー（注）	スクラムマスター プロダクトオーナー
イテレーション	スプリント
ユーザーストーリーリスト	プロダクトバックログ
ユーザーストーリー	プロダクトバックログアイテム
ToDoリスト	スプリントバックログ
タスク	スプリントバックログアイテム
動く成果物	インクリメント
イテレーション計画	スプリントプランニング
デイリーミーティング	デイリースクラム
成果物フィードバック	スプリントレビュー
ふりかえり	レトロスペクティブ

（注）スクラムマスター、プロダクトオーナーという呼称はデファクトスタンダードとなっているので、本書でもそのまま使用します

本書で使用する用語とスクラム用語との対応

「どうやって進めるのか」の３つの観点で簡単に説明します。

なお、以下はアジャイル開発の代表的なフレームワークである「スクラム」をベースにした説明ですが、用語については他のアジャイル開発などでも取り入れられている用語に置き換えています。

１．誰がやるのか

アジャイル開発を進めるチームを「アジャイルチーム」と呼び、その中には「プロダクトオーナー」「開発チーム」「スクラムマスター」の３つのロールがあります。アジャイルチームの主人公はプロダクトオーナーと開発チームであり、スクラムマスターはそのサポート役となって、開発を進めます。

プロダクトオーナー：開発するプロダクトの責任者として、なぜ（Why）、

それ（What）が必要かを決め、開発チームに伝えます。また、アジャイルチームの外にいるステークホルダーとの調整を行います。

開発チーム：プロダクトオーナーのWhyとWhatを受け取り、どのように作るのか（How）に変換します。必要な作業の見積を行い、直近の成果物を何にするかを決めて実装します。

スクラムマスター：アジャイルチームを縁の下の力持ちとして支えます。野球のチームで優秀なマネージャーが、選手がプレーに集中できる環境を作るように、スクラムマスターはプロダクトオーナーと開発チームが開発に集中できる環境を整えます。

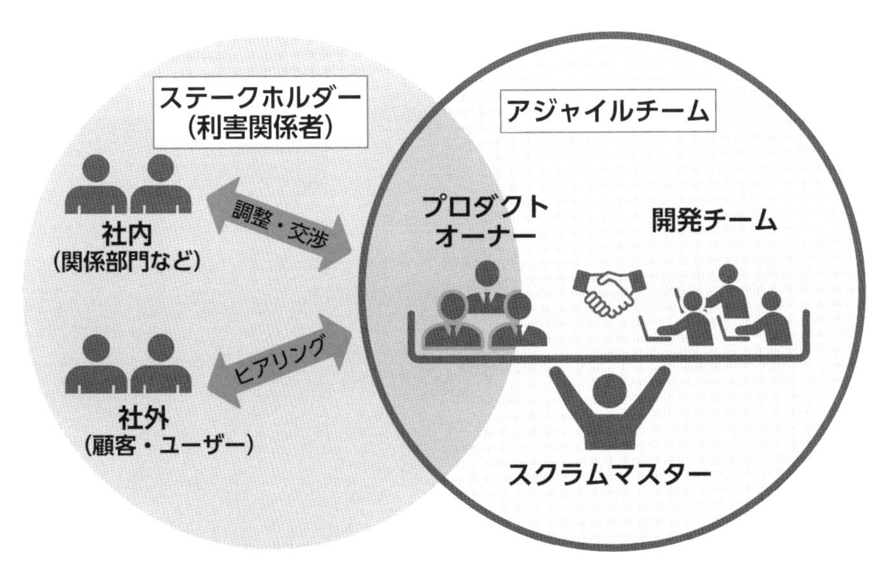

アジャイルにおけるロールの全体像

2．何を作るのか

アジャイルチームは、１週間から１カ月程度の一定の短い期間を「イテレーション」として、その期間内に計画からリリース、ふりかえりまでを行います。イテレーションでは、「ユーザーストーリーリスト」「ToDoリスト」「動く成果物」の３つが作られます。

ユーザーストーリーリスト：プロダクトで達成したいこと（ユーザースト

ーリー）が、優先順位の高い順に並べられたリストです。ビジネス上の観点から、「何のために（Why）」「何が（What）」必要であると記述します。
ToDoリスト：イテレーション内に実現するユーザーストーリーを実現するために、開発チームが実施するタスクの一覧です。
動く成果物：イテレーションの成果物として、終了時に開発チームが提出します。過去の成果物と一体化（マージ）してテストされ、正しく動くと確認できているので「動く成果物」と呼びます。

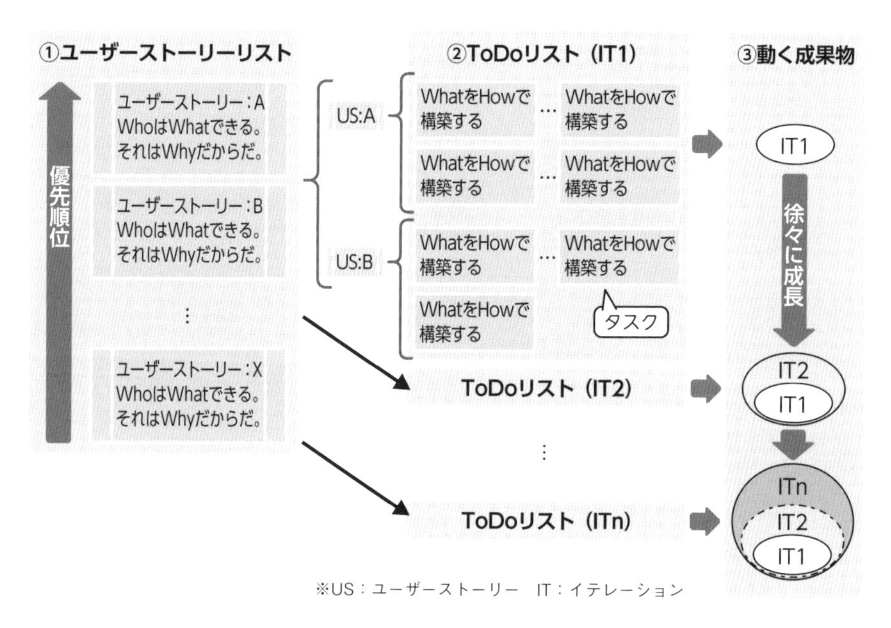

アジャイルチームの作成物の全体像

3．どのように進めるのか

アジャイル開発では、イテレーションごとに「計画を立て、毎日状況を確認し、できあがった成果物を確認してフィードバックを行い、次に活かすためのふりかえりを行う」イベントを設定します。
イテレーション：アジャイル開発のプロセスの基本単位です。１週間から１カ月程度の長さに固定して、以下で説明する「イテレーション計画」「デイリーミーティング」「成果物フィードバック」「ふりかえり」を配置

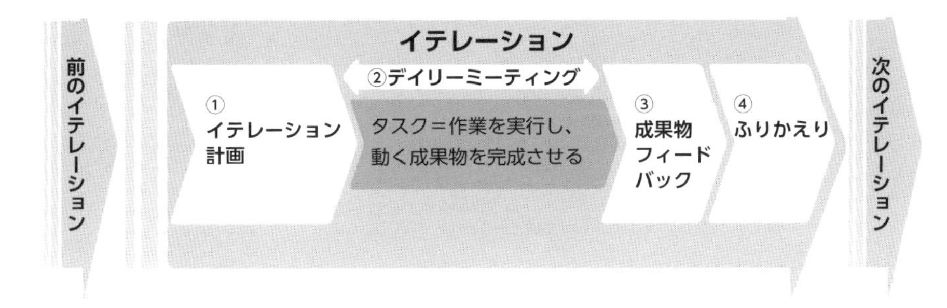

アジャイルにおけるイベントの全体像

し、チームにリズムを作ります。

イテレーション計画：イテレーションの開始時に行うミーティングです。プロダクトオーナーと開発チームでイテレーションのゴール、すなわち「今回のイテレーションで何を作るか」について合意し、開発チームはToDoリストを作成します。

デイリーミーティング：毎日状況を把握するために実施する短時間のミーティングです。イテレーション開始時に想定していなかった状況の変化があれば、イテレーション計画の見直しやToDoリストの修正を行います。

成果物フィードバック：開発チームがイテレーションの最後に提出する動く成果物をアジャイルチームおよびステークホルダーが評価するミーティングです。プロダクトの受け入れについてプロダクトオーナーが判断します。フィードバックをもとにユーザーストーリーリストの見直しを行いますが、最終的な決定権はプロダクトオーナーにあります。

ふりかえり：アジャイルチーム全員でそのイテレーションの活動を見直し、改善項目の洗い出しと次のイテレーションで実行する改善策を立案します。

プロダクト
オーナー

スクラム
マスター

開発チーム
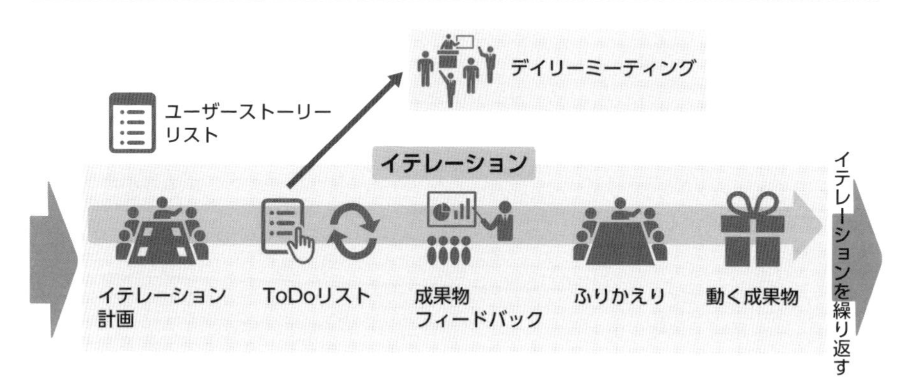
デイリーミーティング
ユーザーストーリー
リスト
イテレーション
イテレーション
計画
ToDoリスト
成果物
フィードバック
ふりかえり
動く成果物
イテレーションを繰り返す

アジャイルの全体像

アジャイルの背景にある考え方
～アジャイルマニフェスト

アジャイルのさまざまな特徴の背景にある考え方がアジャイルマニフェストです。「よりよいソフトウェア開発の方法を見つける」ために重視する４つの価値概念を記した「アジャイルソフトウェア開発宣言」と、それを実現するための12の行動指針を記した「アジャイル宣言の背後にある原則」で構成されます。

アジャイルマニフェストの提唱者がソフトウェア開発者だったので、内容は「ソフトウェア」の開発を念頭に置いた書き方になっています。しかし現在では、ソフトウェア開発以外にもアジャイル開発の考え方を適用する例が増えてきています。アジャイルマニフェストの中に記載されている「ソフトウェア」を「成果物」に置き換えれば、ソフトウェア開発に限らず幅広い領域における価値観と原則として位置づけることができます。

アジャイルソフトウェア開発宣言

アジャイルソフトウェア開発宣言は、署名した17人の提唱者たちが開発を行う上で重視している「マインドセット」を記したものです。

注目していただきたいのは、「よりよい開発方法を見つけ出そうとしている」という部分です。この宣言は「提唱者たちが知恵を持ち寄って正解を見つけた」宣言ではなく、「現時点ではこの方向が正しいと思っているが、これからもよりよい方法を探し続けていく」と言っているのです。アジャイル開発に取り組み始めたばかりのチームは、プロジェクトの目的を見失ってスクラムなどのフレームワークの忠実な再現に注力しがちです。最初に真似をするのはいいのですが、フレームワーク信者になるのではなく、そこから自分たちのプロジェクトに合ったより良い方法に少しずつ変えていくマインドがアジャイル開発には必要です。

その次に、４つの価値を記した文章がありますが、重要なのはその下にある「左記のことがらに価値があることを認めながらも、私たちは右記の

アジャイルソフトウェア開発宣言

私たちは、ソフトウェア開発の実践
あるいは実践を手助けをする活動を通じて、
よりよい開発方法を見つけだそうとしている。
この活動を通して、私たちは以下の価値に至った。

プロセスやツールよりも個人と対話を、
包括的なドキュメントよりも動くソフトウェアを、
契約交渉よりも顧客との協調を、
計画に従うことよりも変化への対応を、

価値とする。すなわち、左記のことがらに価値があることを
認めながらも、私たちは右記のことがらにより価値をおく。

Kent Beck
Mike Beedle
Arie van Bennekum
Alistair Cockburn
Ward Cunningham
Martin Fowler
James Grenning
Jim Highsmith
Andrew Hunt
Ron Jeffries
Jon Kern
Brian Marick
Robert C. Martin
Steve Mellor
Ken Schwaber
Jeff Sutherland
Dave Thomas

出典：アジャイルマニフェスト, https://agilemanifesto.org/iso/ja/manifesto.html

アジャイルソフトウェア開発宣言

ことがらにより価値をおく」です。「アジャイル開発ではドキュメントはいらない」とか「アジャイル開発では計画は考えなくて良い」といったよくある誤解は、この文の「左記のことがらに価値があることを認めながらも」という前半の見落としから生じています。これを踏まえて、私たちはこの４つの文章を以下のように解釈しています。

１．プロセスやツールよりも個人と対話を

アジャイル開発では、チーム内のコミュニケーションツールとしてタスク管理やホワイトボードなどさまざまなツールを使います。しかしより大切なのは個人間のコミュニケーションであり、ツールはコミュニケーションを促進するための手段です。ツールの有効な活用は大切ですが、「ツー

ルを導入したからアジャイルになる」わけではありません。プロセス（仕事の進め方）も同様で、それに頼り、使いこなすことにこだわりすぎるのはよくありません。

　仕事として何かを作ろうとするとき、１人で全てを成し遂げるのはほぼ不可能です。一緒に働き成果を上げるためには個人間の対話が重要であり、ないがしろにしてはならないのです。

２．包括的なドキュメントよりも動くソフトウェアを

「包括的なドキュメント」とは、従来型開発でフェーズごとに作成される「要件定義書」「設計書」「テスト仕様書」などの、動く成果物ができあがる前に中間成果物として作成されるさまざまなドキュメントを象徴しています。従来型開発を行う上で、これらのドキュメントは、「今までどのような作業をしてきたか」「これからどんな作業をするのか」を文書として残すことで、伝達を間違いなく行う役割を果たします。プロジェクトを計画通りに進め、フェーズごとに実施する人が異なる場合が多いことに対応するためには、ドキュメントの果たす役割は非常に大きいです。

　対して、アジャイル開発では、必要なドキュメントの種類も、作り方も、プロジェクトやチームによって異なります。プロダクトオーナーはイテレーションごとに動く成果物を確認し、それが求めている価値をもたらすかという視点で評価するので、設計書で「何を作るつもりだったのか」を確認する必要はありません。開発チームのタスクも、それぞれ設計からテストまで同じ人が担当するのですから、立派な書式のドキュメントでなくてもホワイトボードのスクリーンショットをチケット管理システムのコメントに貼り付けるだけで十分です。最終成果物の保守を他のチームに任せるのであれば、引き継ぎのために成果物ができた後に設計書を残す必要がありますが、自分たちで今後もメンテナンスするのであればそれも不要です。不要なものは作らないようにしますが、ドキュメントを一切作らないわけではありません。動く成果物のために自分たちに必要なドキュメントは、取捨選択して作ります。

３．契約交渉よりも顧客との協調を

「契約交渉」という言葉は１つのメタファーであり、発注者（顧客、ユーザー）と受注者（開発者）が責任を押しつけ合って対立する関係を表しています。

アジャイル開発の成果物は開発者が作ったものに顧客が対価を払って購入する性質のものではなく、顧客と開発者がともにゴールを探しながら作り上げるものです。プロジェクト自体がうまく進んでいないときこそ、乗り越えるための対話と協働がより重要になります。両者が同じプロダクトを世に出す仲間として、お互いの立場を超えて１つのチームとして一緒に働くことができるか、アジャイル開発の成否はここにかかっているといっても過言ではありません。

４．計画に従うことよりも変化への対応を

これはよく誤解されるのですが、アジャイル開発でも「計画」はとても重要です。ただし、「計画」の扱いが、従来型開発とは大きく異なっているのです。

従来型開発では、先のことは完全に予測できる前提で、プロジェクトの初めから終わりまでの長期計画を時間をかけて綿密に策定します。計画に従うことで、予定している成果物を最も効率良くリリースします。

対して、アジャイル開発では、目的達成のための長期計画を立てたとしても、先のことになるほど正確な予測は困難である前提に立ちます。なので、現状から予測可能な短い期間の計画、イテレーション計画を立てて、その期間の予定を守るように行動します。そして、イテレーションの開始のたびにその計画を作り続けるようにします。短い期間での計画立案・実行の繰り返しだからこそ、その区切り区切りで変化を取り込む余地が生まれ、変化への対応が可能となります。

アジャイル宣言の背後にある原則

アジャイルソフトウェア開発宣言の４つの価値を実現するための具体的な12の行動指針が書かれています。この原則をどのくらい守れているかが、アジャイル開発を実施できているかを測る基準になると、私たちは考えて

アジャイル宣言の背後にある原則

私たちは以下の原則に従う:

顧客満足を最優先し、価値のあるソフトウェアを早く継続的に提供します。

要求の変更はたとえ開発の後期であっても歓迎します。
変化を味方につけることによって、お客様の競争力を引き上げます。

動くソフトウェアを、2-3週間から2-3ヶ月というできるだけ短い時間間隔でリリースします。

ビジネス側の人と開発者は、プロジェクトを通して日々一緒に働かなければなりません。

意欲に満ちた人々を集めてプロジェクトを構成します。
環境と支援を与え仕事が無事終わるまで彼らを信頼します。

情報を伝えるもっとも効率的で効果的な方法はフェイス・トゥ・フェイスで話をすることです。

動くソフトウェアこそが進捗の最も重要な尺度です。

アジャイル・プロセスは持続可能な開発を促進します。
一定のペースを継続的に維持できるようにしなければなりません。

技術的卓越性と優れた設計に対する不断の注意が機敏さを高めます。

シンプルさ（ムダなく作れる量を最大限にすること）が本質です。

最良のアーキテクチャ・要求・設計は、自己組織的なチームから生み出されます。

チームがもっと効率を高めることができるかを定期的に振り返り、
それに基づいて自分たちのやり方を最適に調整します。

出典：アジャイル宣言の背後にある原則, https://agilemanifesto.org/iso/ja/principles.html

アジャイル宣言の背後にある原則

います。何が書かれているのか、私たちなりに解釈してみました。

1．顧客満足を最優先し、価値のあるソフトウェアを早く継続的に提供します

「顧客の満足」とは何かを定義し、顧客を満足させる「価値ある成果」とは何かを常に考えます。ここでいう「価値ある成果」とは、成果物自体ではなく、成果物を利用して得られる望ましい結果を指します。なるべく小さな「価値ある成果」を継続的に作ることが、最終的な顧客の満足を得ることにつながります。

２．要求の変更はたとえ開発の後期であっても歓迎します。変化を味方につけることによって、お客様の競争力を引き上げます

顧客からの要求への対応は、「変更に手間がかかる」「手戻りになる」といった開発者の都合ではなく、「この要求に対応すれば顧客がより大きな価値を得ることができるか」という、「お客様」と同じ目線で考えます。考えた結果、かえって顧客の不利益になると判断した場合は、「変更しない方が良い」ことを顧客に理解してもらう必要が出てくることもあり得ます。この原則は、単に顧客の言いなりになりましょうという単純なものではありません。

３．動くソフトウェアを、２～３週間から２～３カ月というできるだけ短い時間間隔でリリースします

「時間」という要素は顧客の満足にとても重要な役割を果たします。最初の原則の「なるべく早く」が具体的にどのくらいの周期を指しているのかを数字で示している原則です。ただし、速さだけではなくきちんと動く「品質」も重要なのでないがしろにしてはいけません。なお、「２～３週間から２～３カ月」という表現は2001年頃の感覚でいえばとても短い期間を示していました。ですから、現在ではこれを「とても短い期間」と読み替えていただくと良いかと思います。

４．ビジネス側の人と開発者は、プロジェクトを通して日々一緒に働かなければなりません

ビジネス側の人と開発者は立場の違いから対立しがちですが、「役に立つ価値の高い成果物を作る」という目標は共有しているはずです。「ビジネスのプロ」の顧客と「モノづくりのプロ」の開発者が１つの目標に向かって協働することで、成果物の価値は最大化します。

「一緒に」は「同じ部屋で」だけを意味するのではありません。顔がお互いに見える同じ空間にいられなかったとしても、ウェブ会議などのツールを上手に活用して、リアルタイムのコミュニケーションと情報共有を図れば、「一緒に働く」ことは可能です。

5．意欲に満ちた人々を集めてプロジェクトを構成します。環境と支援を与え仕事が無事終わるまで彼らを信頼します

プロジェクトを成功させるには、チームメンバーが「やる気」を持つことが大切です。やる気がない人にやる気を持たせるために有効なのが、権限委譲によって「あなたを信頼している」と伝えることです。上意下達ではなく対話によるコミュニケーションをベースにしたアジャイル開発が機能するには、メンバーのやる気とメンバーへの信頼が欠かせません。

6．情報を伝えるもっとも効率的で効果的な方法はフェイス・トゥ・フェイスで話をすることです

顔を合わせて直接対話すれば、他のどんな方法よりも多くの情報を短時間に効率的に伝え合えます。文字で間違いなく説明しようと長い文章を書くのは時間がかかりますし、読む方も大変です。直接対話であれば、疑問や誤解はその場で解消して、圧倒的に早く正しく情報が伝わります。

とはいえ、いつでも対面で話ができるわけではありません。ウェブ会議やメールやチャットなど、他の手段を使うときは、「対面よりも圧倒的に情報が伝わらない」ことに配慮する必要があります。ウェブ会議であれば、できるだけカメラをオンにして表情を見せることで情報量は格段に増えます。また、メールを送ったからといって相手が理解したと思わず、電話などで補足するなどの工夫が必要です。

7．動くソフトウェアこそが進捗の最も重要な尺度です

ウォーターフォール開発ではその仕組み上、進捗はフェーズごとの文書（要件定義書や設計書などの中間成果物）で確認するしかありませんでした。一方で、アジャイル開発では「動く成果物」が一定期間ごとに得られるので、直接その成果物で進捗を確認します。進捗確認のために、中間成果物に頼る必要はありません。

また、「動く」部分には、「品質を保った」という意味も含まれています。つまり、動く成果物の確認が、品質の確認にもなります。

8．アジャイル・プロセスは持続可能な開発を促進します。一定のペースを継続的に維持できるようにしなければなりません

アジャイル開発では、短い周期で「動く成果物」という成果を出します。働いている時間中は常に頭をフル回転させるので、当然頭も心も疲れます。高いパフォーマンスを出し続けるためには、心身のコンディションを保つのがとても重要です。そのためにはきちんと休むことがとても大切です。「進捗が良くないから長時間働く」という考え方ではいずれ疲弊してしまいます。仕組みと工夫で効率を上げ、働く時間と休む時間のリズムを作ることで、一定のペースを維持できるようになります。

9．技術的卓越性と優れた設計に対する不断の注意が機敏さを高めます

「昨日の正解が今日の正解とは限らない」という言葉があります。技術の進化が目まぐるしい昨今、より価値のある成果物を作るためには、古い技術に固執せず、常に最新の技術動向を踏まえて必要であれば躊躇なく取り入れることが必須です。「過去にこうやったらうまくいった」に固執して新しいものを取り入れないのはいけません。「もっといいもの」を常に目指すのであれば、技術を選択するのは、その技術を使う直前が望ましいのです。

新しい技術を素早く取り入れると、ときには失敗することもあります。ただ失敗を恐れるよりも、より成功の可能性が高いものを選択しようという考え方が大事です。

10．シンプルさ（ムダなく作れる量を最大限にすること）が本質です

アジャイル開発におけるムダの代表は、「もしかすると起こるかもしれない」リスクを考え、先回りしすぎて実際には使わないものを作ってしまうことです。短い周期で動く成果物を作るためには「必要なものだけ作る」のが近道であり、先を考えて起きていないことへの対応に頭を使うのではなく、直近のことだけ考えて実際に必要な対応だけを行う方がいいと考えます。

情報システム開発プロジェクトに関する調査結果を多数発表しているStandish Groupは、開発したシステムの機能のうちよく使われるのは20%

で、19%はほとんど使われず、45%は全く使われなかった例を紹介しています（Standish Group『Chaos Report 2000』より）。筆者の経験でも、従来型開発で実施したソフトウェア開発プロジェクトで、設計段階で共通化したモジュールの半分が実際には1回も使われなかったことがあります。アジャイル開発ではこのようなムダは発生させないようにします。

11. 最良のアーキテクチャ・要求・設計は、自己組織的なチームから生み出されます

「自己組織的なチーム」とは、「チームワークが良い、価値を生み出せるチーム」と置き換えるとわかりやすくなります。自由に意見を交換することで、ときには激しくぶつかっても最終的には前向きな合意を形成し、全員で1つの方向に向かえば、最高の結果を得られます。アジャイル開発で良い結果を得るためには、良いチーム、すなわち「単なる仲良しではなく、価値を生み出せるチーム」が必要です。

チームの成長を重視するのは正しいのですが、ここに注力するあまりに「アジャイルでは動く成果物を作るよりもチームの成長が大事」という極端な論調もときどき見受けられます。良いチームを作るのは重要ですが、あくまでも目的は良い成果（価値）を得ることです。

12. チームがもっと効率を高められるかを定期的に振り返り、それに基づいて自分たちのやり方を最適に調整します

常に自分たちの取り組み方を改善し続けることがチームの成長につながります。短い周期で動く成果物をリリースするときに、あわせてチームの仕事の進め方についても「ふりかえり」を必ず行うようにします。「ここが良くなかったので気をつけましょう」と反省するだけではなく、「ではどのように変えるか」を具体的に考え、行動することが大切です。行動して初めて「ふりかえり」は完結するのです。

以上、アジャイルマニフェストの内容について駆け足で紹介してきました。アジャイルに取り組む人にはぜひ頭の中に入れていただきたい内容となっています。IPAが多数公開しているアジャイルに関するドキュメント

にも、「アジャイルソフトウェア開発宣言の読みとき方」という解説文書があります（筆者も編纂に関わっています）。ここに書ききれなかったことも書かれていますので、もっとくわしく知りたい方はぜひお読みください。

https://www.ipa.go.jp/jinzai/skill-standard/plus-it-ui/itssplus/ps6vr70000001i7c-att/000065601.pdf

Column

スクラムだけがアジャイルではない

ワンチームでアジャイル開発を実践するのであればデファクトスタンダードのフレームワークはスクラムだとよく言われます。ですが、皆さんが「スクラム」だと思っているものは純粋な「スクラム」とは違っていることが多いのです。

「スクラム」というフレームワークに含まれるのは、厳密に言うと「スクラムガイド」に記述されていることだけです。それは3つのロール（開発者、プロダクトオーナー、スクラムマスター）、5つのイベント（スプリント、スプリントプランニング、デイリースクラム、スプリントレビュー、スプリントレトロスペクティブ）、3つの作成物（プロダクトバックログ、スプリントバックログ、インクリメント）であって、何をどのように行うかといったテクニカルなことにはほとんど触れていません。

実際にスクラムを動かすのによく使われる技術やツールには、エクストリーム・プログラミングなど他のアジャイルフレームワークから取り入れられているものが数多くあります。ここでは、代表的なフレームワークの例をいくつかご紹介します。

エクストリーム・プログラミング（XP）

開発者の視点で「価値を生み出す、動く成果物」をどのように生み出すかにフォーカスしたフレームワークです。「コミュニケーション、シンプルさ、フィードバック、勇気、リスペクト」の5つの価値観を基本に置き、短い開発サイクルで頻繁に動く成果物をリリースすることで素早く価値を実現します。

XPは、モノづくりの観点ではとても合理的なフレームワークです。モブ開発やテスト開発など、XPを発祥とするプラクティスは、スクラムなどの他のフレームワークでも、モノづくりに取り入れられています。

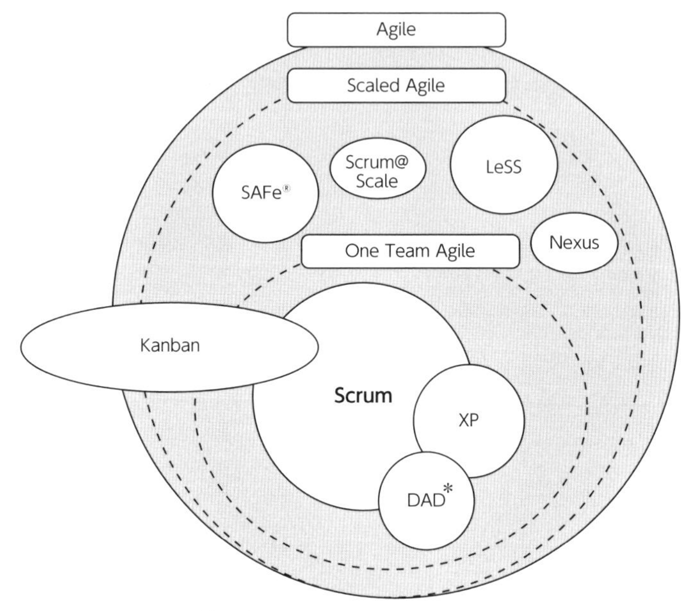

＊DADとはDA（Disciplined Agile®）で定義されているフレームワークです

アジャイルにはさまざまなフレームワークがある

Kanban

Kanbanは、トヨタ生産方式の「かんばん方式」を開発にも適用したもので、ジャストインタイムでのリリースを強調したフレームワークです。かんばんによって現在の状態を可視化することで、仕掛かりのままになっているタスクを減らし価値を素早く実現できるように、組織やプロセスのカイゼンを促します。

Kanbanでツールとして使用していた「かんばん」は、タスクの可視化とチームの協力を促すツールとして、さまざまなアジャイルのフレームワークに取り入れられています。

DA（Disciplined Agile®）

アジャイル、リーン、その他のソフトウェア開発手法を選択して活用するためのハイブリッドツールキットです。核になるのはさまざまな専門性を持つ部門やチームが協力して継続的な開発とリリースを実現する

「Disciplined DevOps」です。

DAは、それに加えて組織が自身の状況に応じて最適なプロセスやプラクティスを選択し、高品質で有用な動く成果物をデリバリーできるようにする「Disciplined Agile Delivery」（DAD）というフレームワークを包含し、さまざまなベストプラクティスを含むツールキットとして提供されます。プロジェクトマネジメントのデファクトスタンダードであるPMBOK®第７版では、DAの基本的な考え方をプロジェクトマネジメント全体に取り入れています。

SAFe®（Scaled Agile Framework®）

ワンチームアジャイルを組織全体や大規模プロダクトにスケールする代表的なフレームワークです。顧客価値の最大化とリスクの最小化を目指して優先順位付けを行うポートフォリオ管理やプロダクトマネジメントの考え方を取り入れ、複数のスクラムを階層的に束ねるのが特徴です。また、スクラムが継続的にプロダクトをリリースし続けられるプラットフォームやスキルの支援も提供します。階層型構造を持つウォーターフォール型アプローチに近い概念も取り入れてあるため、従来型開発に慣れた人たちには馴染みやすいかもしれません。

LeSS（Large-Scale Scrum）

規模の大きなプロダクトを開発するためのフレームワークです。複数のスクラムで１つのユーザーストーリーリストを共有します。イテレーションの最初のユーザーストーリーの確認は全員で実施し、その後のToDoリスト作成からタスクの実行まではチームごとに行います。イテレーションの最後に実施する成果物フィードバックとふりかえりは、また全員で行います。この考え方を取り入れた複数アジャイルチームによるプロダクト開発については、第５章でくわしく説明しています。

Scrum@Scale

スクラムの共同創設者であるジェフ・サザーランドが提唱した、スケーラブルなアジャイルフレームワークです。組織内には複数のスクラムが存在し、それぞれ独立したプロダクト開発を担当します（プロダクトオーナーサイクル）。定期的にスクラムの代表者が参加するScrum of Scrumというミーティングを持つことで、スクラム間の同期や連携を図ります（スクラムマスターサイクル）。組織の規模に応じてScrum of Scrumを階層化すれば、小規模なチームから大規模な組織まであらゆる規模のプロジェクトや組織に適用できます。

Nexus

スクラムの共同創設者であるケン・シェーバーが提唱した、大規模スクラム開発の手法です。複数のスクラムをオーケストレーション（協調）させるための「統合チーム」を設けて、ユーザーストーリーリストの管理、スクラムへのユーザーストーリーの割り当て、各チームのデイリーミーティングの内容の共有、成果物フィードバック、ふりかえりの共有などを行います。

ここで紹介してきたさまざまなフレームワークの多くは、アジャイルマニフェストにある「より良い方法を見つけ出そうとしている」活動により生み出されたものです。「どのフレームワークが一番優れているか」を競い、他を排除するものではありません。

本書の説明も、スクラムを下敷きにしていますが、私たち自身がより良い方法を見つけ出そうとして他のさまざまなフレームワークや経験からの学びを取り入れた独自のものです。皆さんも「スクラムガイドに書いてあることのみに従っていればアジャイルが実践できる」と思考停止に陥らず、アジャイルマニフェストに立ち返ってより良い方法を見つけ出そうとし続けるために、さまざまなフレームワークを学び、自分たちの方法に取り入れてください。

CHAPTER 1

アジャイルのこと、
誤解していませんか?

アジャイルに対して否定的な方や、やってみてもうまくいかなかった方に理由を聞いてみると、その背景には誤解や幻想がしばしば見受けられます。この章では、そんな「アジャイルに関するよくある誤解」を解いてみたいと思います。

ヒント001 その「アジャイル」本当に必要ですか？

「アジャイルでやればシステム開発はうまくいく」「DXの時代、アジャイルを取り入れない企業は生き残れない」などなど、何でもかんでもアジャイル開発で行うのが正義であるかのように言う人たちがいます。最近は、お客さまから「次の開発プロジェクトはウォーターフォールでやるつもりだったが、時代に乗り遅れないためにプロジェクトの特性に関係なく、とにかくアジャイル開発を取り入れたいので相談に乗ってほしい」と言われることが珍しくありません。やることが全て決まっていて変更が起き得ない、ウォーターフォールの方が明らかに向いているプロジェクトでも「これからのモノづくりはアジャイル開発で」と決め打ちしているのです。

そう言う人はおそらく、これまでにウォーターフォールでいろいろと失敗してきた自身や周囲の経験から、「ウォーターフォールは時代遅れで古いアプローチ、アジャイルの方が新しくて良いアプローチ」と誤解しているのです。

ユーザーの要求仕様を明確にシステム仕様に落とし込めて変更が発生しないプロジェクトであれば、予測型アプローチのウォーターフォールが向いていますし、確実です。一方、ビジネス環境や技術の変化が激しく、「今決めたことが来週には覆るかもしれない」プロジェクトは、ウォーターフォールではとても対応できず、アジャイルの方が向いているでしょう。重要なのは、目の前のプロジェクトはどちらが向いているかを適切に見極めることです。

ヒント002 アジャイルであることが最大の目的になった瞬間、そのアジャイルは失敗する

ビジネスの観点から見たアジャイル開発の特徴の1つに、イテレーショ

ンごとに必ず「動く成果物」を出すことがあります。動く成果物とは、言い換えると、ビジネスに価値をもたらす機能を実装し、利用できるようにすることです。

ウォーターフォールでは、プロジェクトを完了した最終段階の時点で動く成果物が実装され、ビジネスに価値をもたらします。緻密に計画を立て、計画通りに効率良く作業をすることが価値の最大化につながります。アジャイルでは最後まで強引に計画を立てない代わりに、動く成果物をいち早くリリースして成長させることで、得られる価値を最大化します。自社のビジネスの価値を最大化するために、モノづくりにどちらのアプローチを採用するかは、プロジェクトの特性に応じて決めるべきです。

新しい開発アプローチとしてアジャイル開発をこれから導入していこうと考えていただくことは大歓迎です。とはいえ、組織の中でアジャイルを定着させるためには、小さくても良いのでアジャイルに向いたプロジェクトに導入しなくては意味がありません。「アジャイルをやった」という実績作りのために、ウォーターフォールの方が適しているプロジェクトにアジャイル開発を無理に導入するのは目的と手段を履き違えていますし、失敗することは目に見えています。

ヒント003 欧米で「アジャイルが主流」は事実ではありません

「そうはいっても欧米の成長企業のシステム開発はアジャイルが主流」と思われる方もいるかもしれません。

『DX白書2021』（独立行政法人情報処理推進機構）によれば、アジャイル開発を全社的に活用している企業の割合は日本が4.3%に対し米国は25.2%、事業部で活用している企業まで含めると、日本の19.3%に対し米国では55.0%と半数以上の企業がアジャイル開発をすでに活用しています。一方で、プロジェクトマネジメント協会（PMI）が2021年に公表した北米を対象とした調査レポートでは、開発手法としてウォーターフォールを選択している企業の割合が45%、アジャイル開発を選択している企業が26%、ハイブリッドすなわちウォーターフォールとアジャイル開発を併用している企業が26%となっています。

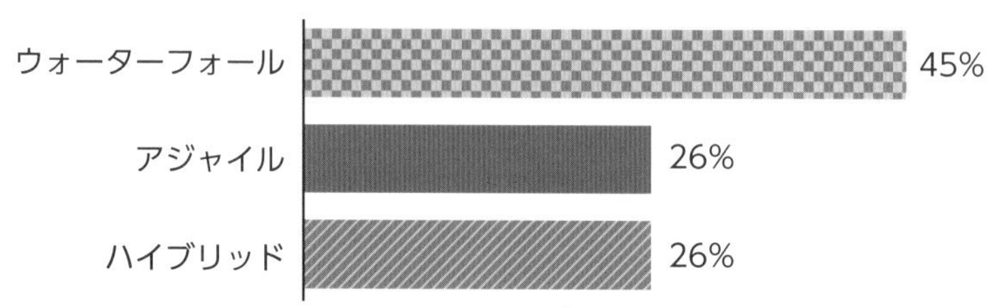

出典：Project Managemant Institute “Pulse of the Profession®” 2021, NorthAmerica

図1-1　北米における開発アプローチの採択割合

この２つの調査からわかるのは、北米でも「アジャイルが主流、ウォーターフォールは時代遅れ」では決してなく、割合でいえばウォーターフォールを選択する企業が最も多いのです。しかし一方で、半数以上の企業はアジャイルを理解しており、ウォーターフォールとアジャイル開発を適宜、取り入れている企業が４分の１に達している点が、「アジャイルを活用していない」「アジャイルを知らない」を合わせた割合が６割以上を占める日本（『DX白書2021』より）と決定的に異なっています。ですが、欧米においても全てがアジャイル一辺倒になっているわけではないという事実も押さえておいてほしいと思います。

ヒント 004　欧米発祥のアジャイルは日本人に合っていないというまことしやかな嘘

アジャイル開発にはスクラム、Kanban、エクストリーム・プログラミング（XP）など、さまざまな手法（フレームワーク）があります。これらは、前述の通り、短期・小規模のシステム開発に従来型のシステム開発手法は馴染まないと考えた主に米国のソフトウェア開発者によって提唱されたものです。そうした経緯から、「アジャイルは欧米から輸入された考え方で、日本人の気質や日本の企業文化にはそぐわないのでは？」と言う人がいます。

ところが実は、アジャイルマニフェストの源流には、それより50年以上前に確立された「トヨタ生産方式」（TPS）があるのです。車とソフトウェアと、作るモノの違いはありますが、個人ではなくチームワーク、絶え間ないカイゼン、タスクや課題の見える化、など、共通するキーワードがたくさん出てきます。アジャイルマニフェストに署名した開発者たちも、TPSに影響を受けていると明言しています。

もう1つ、アジャイルに大きな影響を与えたのが、1986年の一橋大学の野中郁次郎教授とハーバード大学の竹内弘高助教授による「The New New Product Development Game」という論文です。この論文では日本の製造業における新製品開発プロセスを分析しています。日本企業が画期的な新製品を開発するプロジェクトは、小さなチーム単位で自律的に動ける環境を与えることで、チームが自ら組織化し、自己学習してブレークスルーを起こすとして、このようなチームをラグビーのスクラムになぞらえました。これに感銘を受け発案されたフレームワークが、現在アジャイル開発のデファクトスタンダードともなっている「スクラム」です。

こうした歴史を知れば、「アジャイルは欧米発祥の考え方だから日本人には合わない」というのは全く当てはまらないとおわかりいただけると思います。

ヒント 005 ここまで進んだアジャイル適用事例、食わず嫌いは損をする

アジャイルはソフトウェア開発が発祥のアプローチですが、それ以外の製品開発にも適用されています。アジャイル開発の事例として知られているのが、スウェーデンのSaab社が開発した戦闘機「Saab JAS39（グリペンE)」です。4,096人のプロジェクトメンバーをエンジン、コックピット、機体、武装といった単位に分けてチームを組織し、全てのチームがタイミングを揃えた3週間区切りのイテレーションで作業を行いました。階層化したデイリーミーティングによる短時間での情報共有や、常に最新の3Dモデルとソフトウェアを使用したシミュレーションを誰でも利用できる環境を作り、アジャイル開発を進めた結果、ボーイング社のF-35ライトニングIIに比べて大幅に開発コストを削減してプロダクトを生み出したのです（出典：JJ Sutherland and Joe Justice「Agile In Military Hardware」)。

2023年初頭時点で、世界で唯一再使用可能な衛星打ち上げ用ロケット「ファルコン9」の開発も、アジャイル開発で行われました。ロケットを再使用するために最も重要な機能として、まず、使用後のロケットを再噴

射させて地球に再着陸させることを目指しました。垂直着陸さえできれば、宇宙空間までロケットを飛ばすことは既存の技術との組み合わせで可能になります。実際、衛星打ち上げロケットの垂直着陸実験に初めて成功した２年後には、ロケット再利用を実現しています。宇宙関連でいえば、日本の小惑星探査機「はやぶさ２」も、パーツごとにアジャイルチームを作り、アジャイル開発を行ったことがPMI（プロジェクトマネジメント協会）のレポートで紹介されています。

戦闘機やロケットなど、従来であれば緻密な設計をもとにウォーターフォールで開発されていたものにも、アジャイル開発のアプローチが導入されています。ですから、アジャイル開発に向かないと言われる組み込みソフトウェアや勘定系システム開発プロジェクトであっても、アジャイル開発を取り入れるのは不可能ではありません。

ここまでに挙げた事例は、いずれもアジャイル型アプローチは向いていないように感じますし、導入のハードルも高いものです。しかし彼らは、アジャイル型アプローチで得られる自分たちなりの価値を見出して、困難でも挑戦し、今のところ成功しています。こういう事例を見ると、「インフラ系だから」「組み込み系だから」「特殊な業界だから」アジャイルはできないと諦めてしまうのは損をしていると思います。

ヒント 006 アジャイルは万能ではない（「今のやり方以外を採用すれば成功する」は幻想）

何にでもアジャイルを導入すればうまくいくかといえば、当然そんなことはありません。よくある失敗が、「今のやり方ではうまくいかないから、新しいアジャイルというものを導入すればうまくいくのではないか？」と、アジャイルを無理やり入れてしまうことです。

PMBOK® 第６版の副読本である「アジャイル実務ガイド」では、ステイシーモデル（プロジェクトの複雑さを「技術的な不確実性」と「要求事項の不確実性」の度合いによって分類するモデル）を使って、アジャイル開発が適しているプロジェクトを説明しています。

従来型アプローチでうまくいくのは、技術的な不確実性も要求事項の不確実性も低いプロジェクトです。言い換えれば「実装すべきこととそのた

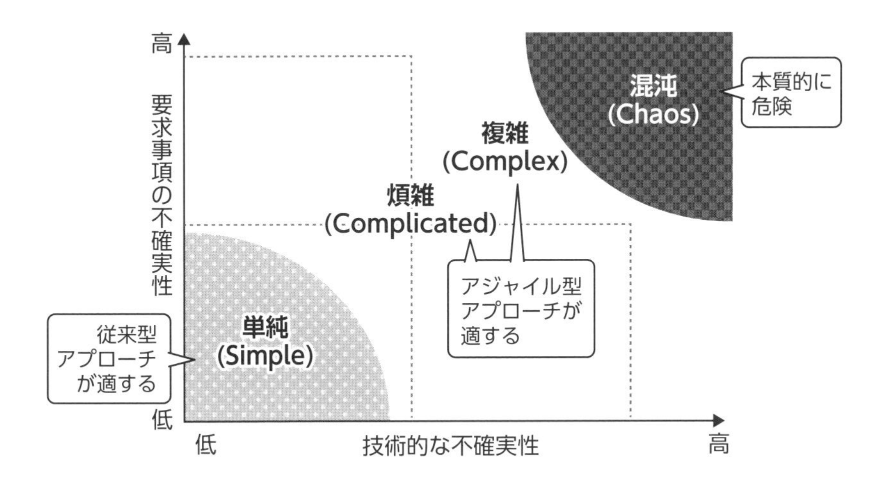

図1-2 ステイシーマトリクス

めに用いる手段が明確なプロジェクト」であれば、アジャイル型アプローチではなく従来型のアプローチの方が適しています。それでうまくいかないのはアプローチの問題ではなく、予算が足りない、期間が足りないなどマネジメントの問題であり、アジャイルを入れても解決しない場合の方が多いです。

技術的な不確実性、要求事項の不確実性がある程度高いプロジェクトの場合は、最初から最後まで見通した完全な計画は立てられません。その場合は、アジャイル型アプローチの、「小さい計画と実行を繰り返す」という方法が向いています。ちなみに、不確実性がどちらも相当高い「カオス」なプロジェクトは、本質的に危険なので、アジャイル型アプローチでも失敗する可能性が高いです。最低でもどちらか一方をコントロール可能な範囲まで下げる必要があります。

ヒント007 臨機応変＝アジャイルじゃない

アジャイルに対して最もよく言われる誤解が「変化に対応して臨機応変にやるのがアジャイルだから、計画は必要ない」というものです。

ウォーターフォールのプロジェクトは、最初から終わりまでをカバーする１つの大きな計画に沿って進められます。対して、アジャイル開発の全体計画は、プロジェクトの初めから終わりまで通して、「何がいつできあがるのか」「そのために誰がいつ何をするのか」を記述したものではありません。「このまま状況に変化がないとき、どのイテレーションでどのユーザーストーリーを実施可能か、どこにたどり着くのか」を関係者全員が合意するための目安です。プロジェクトの中で随時見直されるものであり、ウォーターフォールの全体計画とは意味も役割も異なっています。加えて、アジャイル開発では、イテレーションごとに、「何をどこまで実現するか」「そのために誰が何をどのように作るか」を決める「イテレーション計画」を、イテレーションの開始時に立案します。

イテレーション計画のスタートは、ユーザーストーリーリストです。プロダクトオーナーと開発チームは、これから始まるイテレーションでユーザーストーリーリストのどこまでを実装するかを決め、開発チームが必要なタスクを洗い出してToDoリストを作成します。イテレーション期間中はデイリーミーティングで毎日状況を確認しつつ、必要に応じてToDoリストの見直しを行います。

イテレーション終了時には、イテレーションで実施したタスクを反映した、動く成果物ができあがります。成果物がユーザーストーリーを満たせているか、確認した上で、必要であればユーザーストーリーリストの更新が行われ、次のイテレーション計画が立てられるのです。

つまりアジャイル開発では、一度立てた大きな計画をもとにゴールまでの道のりを「進捗」として管理するのではなく、優先順位の高いユーザーストーリーから順番に実現するために、イテレーション単位で直近の計画を詳細に立て、その結果をもとに次の計画を見直すことで全体計画を最新化するという作業を常に行っているのです。遠い未来は予測できないことを前提として考慮せず、予測可能な程度の近い未来に向けた計画を緻密に立て、実行することで変化に対応しているのであり、決して「臨機応変だから計画は不要」なのではありません。

ヒント 008 アジャイルを始めるときに必要なのは標準ではなくガイドライン

標準とは、組織文化の結晶であり、自分たちのノウハウを自分たちの組織に定着させるために作るものです。アジャイルに対する経験や知見がない状態で「アジャイル開発標準」を作ろうとすれば、アジャイル導入に成功したどこかの企業の真似をするしかありません。

そうして借り物のアジャイル標準を持ち込み、アジャイル開発を始めても、どうしても自社のやり方には合わないところが出てきます。合わないのでどんどん形骸化していき、やがては「アジャイルはやりづらいから今までと同じウォーターフォールでやった方がいい」ということになりかねません。

とはいえ、何もないところからいきなりアジャイル開発に取り組めと言われても、地図もなしにいきなり荒野に放り出されるようなもので、どちらを向いて歩き出せばよいのかもわからず途方に暮れてしまうでしょう。私たちは、アジャイルに取り組むために歩き出すための地図として「ガイドライン」の導入を提案しています。たとえば、政府CIOポータルで公開されている「アジャイル開発実践ガイドブック（https://cio.go.jp/sites/default/files/uploads/documents/Agile-kaihatsu-jissen-guide_20210330.pdf)」でも良いでしょう。私たちがアジャイル導入を支援するお客さまには、従来の開発標準や組織の文化についてヒアリングして、スタートアップガイドラインをご提案しています。

標準とガイドラインの違いは、たとえて言えば教科書と参考書のようなものです。標準と聞くと、そこから逸脱してはいけない、遵守しなくてはいけないもの、という響きがあり、アジャイルマニフェストにある「よりよい開発方法を見つけだそうとしている」とは相容れません。それに対して、「ガイドライン」はあくまでも参考書です。地図を使う人が自分に使いやすいように、歩きやすい道や新しくできた道や目印を自分で書き込んでいくように、使う人がそれをベースにより良いやり方を見つけて、改訂を続けていくものです。

自分たちのアジャイルの取り組みから得られた知見をガイドラインに組

み込んでいくことで、ガイドラインは自社の「アジャイル標準」へと成長します。こうしてできあがった「アジャイル標準」は、画一的に守ることを強要する決まりではなく、常により良い方法を目指して改善されるものです。私たちも複数の顧客にガイドライン策定の支援を行いましたが、どれ1つ全く同じ形にはなりませんでした。それくらい、組織文化はそれぞれ独自性の高いものであり、また尊重されるべきものだと思います。

ヒント 009 変更を受け入れる＝仕事が積まれ放題となってしまわないために合意すべきこととは

従来型開発の経験がある人が一番とまどうのは、「アジャイル開発では変更をいつでも受け入れる」としている点でしょう。ウォーターフォールの場合、仕様変更はすなわち手戻りを指しますから、変更を無限に受け入れる＝仕事が無限に増える地獄を連想するのも無理はありません。

なぜ、アジャイル開発では変更をいつでも受け入れられるのでしょうか。それは、「何をコミットして、何を調整するか」の考え方が違うからです。

従来型開発では、「要求仕様」という形で何を作るかが決められ、それを実現するために期間とリソースを調整します（図1－3の左）。対して、アジャイル開発では、先に期間とリソース、すなわち作業の総量を決めて、それに応じて要求をどこまで実現するかを決めます（図1－3の右）。

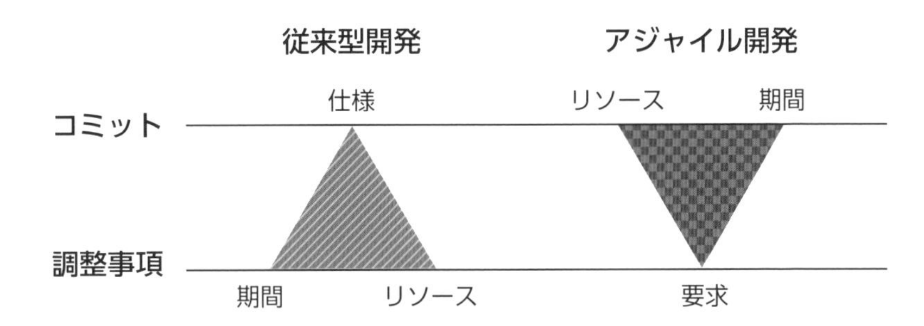

図1-3 従来型開発とアジャイル開発のコミットメントに対する考え方の違い

従来型開発の「仕様変更」は、アジャイル開発では「ユーザーストーリーリストの見直し」として表現されます。ユーザーストーリーリストは「書かれたら絶対にやらなければならないリスト」ではないので、リスト

優先順位	ユーザーストーリー	重みづけ
1.	Xxが〇xしたい、なぜなら△◆だから。	2points
2.	Xxが〇xしたい、なぜなら△◆だから。	5points
3.	Xxが〇xしたい、なぜなら△◆だから。	8points
4.	Xxが〇xしたい、なぜなら△◆だから。	3points
5.	Xxが〇xしたい、なぜなら△◆だから。	13points
6.	Xxが〇xしたい、なぜなら△◆だから。	1point
7.	Xxが〇xしたい、なぜなら△◆だから。	2points
8.	Xxが〇xしたい、なぜなら△◆だから。	3points

仕事の総量を変えない範囲で、やること自体を調整

優先順位	ユーザーストーリー	重みづけ
1.	Xxが〇xしたい、なぜなら△◆だから。	2points
2.	Xxが〇xしたい、なぜなら△◆だから。	5points
3.	Xxが〇xしたい、なぜなら△◆だから。	8points
4.	Xxが〇xしたい、なぜなら△◆だから。	3points
4a.	**追加要件のユーザーストーリー**	**5points**
5'.	**変更したユーザーストーリー**	**13→8points**
6.	Xxが〇xしたい、なぜなら△◆だから。	1point
7.	Xxが〇xしたい、なぜなら△◆だから。	2points
8.	Xxが〇xしたい、なぜなら△◆だから。	3points

図1-4 アジャイル開発における要求の調整の考え方

を全て実現するのが前提ではありません。優先順位の高いユーザーストーリーから、実現に必要な作業量を割り当て、決まっている作業の総量内でできるところまでをコミットします。優先順位が入れ替わったり、優先順位の高いユーザーストーリーが追加された場合は、優先順位の低いユーザーストーリーがコミットラインの下に押しやられてプロジェクトのスコープから外れるので、仕事が増え放題にはなりません。

とはいえ、従来型開発の考え方が染みついている人には「要求が調整事項」という考え方は受け入れるのがなかなか難しいと思います。また、実際には単純に「はみ出たからやりません」と言うわけにもいかないことが多いでしょう。そのためには、仕事の総量を変えない範囲で、やること自体を調整します。たとえば、13ポイントで作る予定だったものを、全ての事象に対応した最高級の機能ではなく、必要最低限の機能に絞り込んで8ポイントに削減し、空いた5ポイントで新しい機能を作るなどです（ポイントについてはヒント67〜71でくわしく説明します）。

仕事の総量は変えないという絶対条件をプロダクトオーナーも開発チームも共通認識として持っていれば、変更は怖くありません。その上で、プロダクトオーナーが実現したいことをなるべく実現できるよう、プロダクトオーナーと開発チームが一緒に考え無理がないよう工夫して乗り切るのが大切です。

ヒント 010 アジャイルの導入をウォーターフォール的に行う悲劇

アジャイル型アプローチを導入する動機の多くは、「先が見通せない変化のある状況に対応しながら価値を得る」ことです。そのためには、計画は状況に応じて見直すのが大前提です。しかし、今まで従来型アプローチで動いていた人たちは、アジャイルの導入をウォーターフォール的に行おうとしてしまいがちです。

ウォーターフォールでは、何かをするときにはまず計画を立てます。そして一度立てた計画は変えずに最後まで実行して、初めて成果が得られます。大きな状況の変化で完了が難しくなった場合は前工程に戻って計画を立て直すので、その分成果が得られるのも遅れます。

この考え方でアジャイル導入のための計画を立てようとしても、状況が変わる都度計画は立て直しになり、いつまでたっても計画が終わりません。そしてウォーターフォールでは計画が終わらないと次に進めないので、アジャイル導入がいつまでもできません。この「アジャイルの導入に失敗しないように慎重に計画を立てようとして導入に失敗する」という状況を、私たちは「アジャイルの導入をウォーターフォール的に行う悲劇」と呼んでいます。そもそもアジャイル型アプローチを導入したくなるような先の見通せない状況なのですから、導入もアジャイル的にやりましょう。前に紹介したようなガイドラインを参照したり、アジャイルをよく知るアジャイルコーチに伴走してもらいながら、改善を繰り返して自分たちなりの「アジャイル」を実践しましょう。

ヒント 011 安易に混ぜるな。ウォーターフォールとアジャイルのハイブリッドが難しい理由

「ハイブリッド」という言葉には「2つの選択肢のいいところ取り」のイメージがあります。そのため、アジャイルを始めるときに、いきなり今までのウォーターフォールと違うやり方を取り入れるのに不安を感じる人は、「ウォーターフォールとアジャイルのハイブリッド」という考え方に安易に飛びつきがちです。ですが、安易に混ぜると大きな落とし穴が待っています。やってはいけないハイブリッドの例を3つ挙げましょう。

1．理解不足型ハイブリッド

アジャイルマニフェストの「計画に従うことよりも変化への対応を」や、アジャイル宣言の背後にある原則の「要求の変更はたとえ開発の後期であっても歓迎します。変化を味方につけることによって、お客様の競争力を引き上げます」という言葉を中途半端に理解して、「変化には対応する」「要求の変更はたとえ開発の後期であっても歓迎する」というところだけをウォーターフォールに取り込もうとする人たちがいます。すると、「要件定義の通りに実装する」のに加えて「仕様追加は無制限に受け入れる」開発チームにとっては悪夢のような状況に陥ります。当然仕事は積まれ放題で要求は止まらないのに、アジャイルだから追加費用は出さないよ、と言われてしまうことさえあります。結果、まともに動くプロダクトはでき

ず、開発チームは疲弊して、皆が不幸になってしまいます。

2．実装フェーズ専用型ハイブリッド

実際に2013年頃に一部の大手SIerが「ハイブリッドアジャイル」として提供していたサービスで、ソフトウェア開発の要件定義・設計・開発・テストのフェーズのうち、要件定義と設計という仕様決定フェーズをウォーターフォール、決まった仕様の実装フェーズである開発とテストをアジャイルで実施するというものがありました。とはいえ、設計までできてしまって仕様が固まっている（その後の変化がない）のであれば、後はその通りに実装すれば良いので、アジャイルを取り入れる意味はありません。そこに中途半端にアジャイルを入れてしまったため、状況に合わせて設計書の見直しが頻発し、できあがった成果物の品質がボロボロになって結局うまくいきませんでした。

そうなってしまったのは、アジャイルを自動テストツールやテスト開発メソッドなどのツールを導入する実装フェーズ専用の技法であると考える誤解があったからだと思います。実際のところアジャイル開発では「フェーズ」という概念そのものが不要なのですが、あえて言うならユーザーストーリーリストの方向性決定フェーズ（仕様決定フェーズ）に当たる「要件定義」と「設計」をアジャイルで行い、実装フェーズをウォーターフォールで行うのであれば、意味はあったかもしれません。

3．レイヤー分離型ハイブリッド

これもソフトウェア開発でやってしまいがちなのが、「ユーザーの要望で変更要求が頻繁に発生する画面周りを含むフロントエンドの設計はアジャイル」「データベース設計など変更が発生しないバックエンドはウォーターフォール」にするハイブリッドアジャイルです。一見合理的に見えますが、バックエンドがウォーターフォールなので、両方の開発が完了するまでフロントエンドとバックエンドを結合して動かすテストはできません。そして、テストをしないまま開発したフロントエンドとバックエンドを接続しても、必ずエラーが出てうまくいかないものなのです。先にバックエンドをウォーターフォールで完成させてから、フロントエンドの開発をアジャイルで行うのであれば良いのですが、同時進行ではうまくいきません。

そもそもウォーターフォールとアジャイルは全く逆のアプローチであり、

組み合わせるのが非常に難しいもの同士です。両方に精通した人が要所要所で組み合わせればハイブリッドも有効ですが、「いきなりアジャイルは難しいから」という理由で安易な折衷案を取り入れるのは、かえって良くない結果を招きます。

ヒント012 一度決めてしまったことは「簡単に変えられない」という呪縛から解き放たれよう

従来型開発に慣れている人がアジャイル開発で陥りがちな失敗が、「入念に計画を立てようとして前に進めなくなる」ことです。アジャイル型アプローチの計画は、やってみた結果をフィードバックして、計画そのものもどんどん変えていくものです。変更を受け入れる前提があるから、失敗を恐れず気軽に試して、ダメだったら改め、うまくいったら取り入れることで改善していけます。変更を受け入れるためには「一度決めたことは簡単に変えられない」という呪縛を捨てる必要があります。

一度決めたことを変えられない前提では、「もっといい方法があるかも」「新しい手段が出てきそう」と変化を恐れ慎重になりすぎて、なかなかスタートを切る決断ができません。ビジネスの状況も技術も変化する中では、時間をかけるほど新しい選択肢が生まれて前に進めなくなります。いつでも変えられるのであれば、失敗してもいいからやってみる、ダメなら改める、もっといいものが登場したらその時点で取り入れるという進め方ができます。

アジャイル開発を成功させるためには、一度決めたことを常に疑い、イテレーション単位で「今の最善」を考えて動く成果物を作り続けることです。過去の成功にとらわれず、「もっといい方法」を常に考え続けるのがアジャイルの本質です。昨日の正解が今日も正解とは限りません。

ヒント013 たいていの場合、最初のイテレーションから予定通りの成果が出ないという事実を受け入れないと、最初でつまずく

見えているゴールに向かって最短距離を効率良く走る従来型開発と異なり、アジャイル開発は見えないゴールに向かって一歩ずつ手探りで進みます。初めて取り組むときには、考え方を根本的に切り替えなくてはいけま

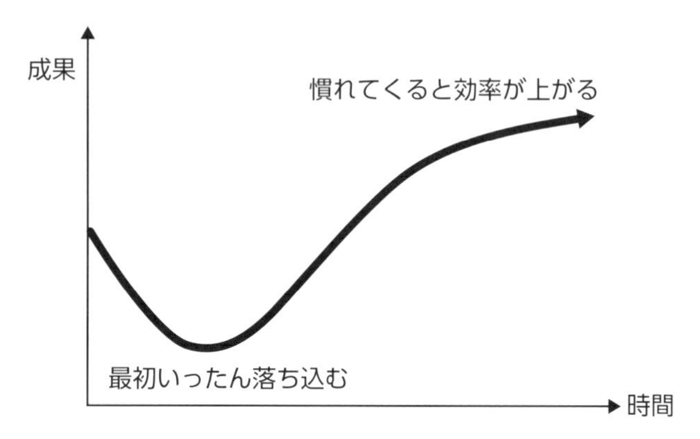

図1-5 アジャイルチームの成長曲線

せんが、言うほどたやすいことではありません。

ソフトウェア開発にたとえれば、C言語に慣れたプログラマーを集めてPythonでプログラムを作ろうとしても、開発言語の違いと活用の仕方を習得するまでは生産性が上がらないのと同じで、ウォーターフォールで開発してきた人が最初からアジャイルで同じパフォーマンスを出せるわけがないのです。

ウォーターフォールの計画では、一貫して一定のペースで作業を消化できることも多いですし、そのように計画することが多いですが、アジャイルでは最初の1カ月から1カ月半程度は、アジャイルチームのメンバーそれぞれがアジャイルに慣れるために、本来期待できるパフォーマンスを出せないのが通常です。「アジャイルが非効率」と主張する人は、この、パフォーマンスが低い立ち上げ時だけを見ていることが多いのです。

アジャイルチームの生産性は、最初いったん落ち込み、その後慣れてくると効率が上がります。私たちはこのカーブを「Jカーブ」と説明しています。最初の数イテレーションぐらいは成果が出ないものとして計画を立てれば、落ち着いてアジャイルチームのやり方を改善し、アジャイル開発に取り組めるようになります。実際にこのことを事前に伝えていたおかげで、立ち上げ時期の成果が出にくい時期を乗り越え、後にとても高いパフォーマンスを出せるようになったチームもありました。

（もう少しくわしく知りたい方は、Agile Japan2016にて筆者が発表した際の資料をご覧ください。https://2016.agilejapan.jp/image/B-3_KenWatarai_AgileJapan2016.pdf）

ヒント014 アジャイルで「失敗を許容する」が可能なのはそのための「からくり」があるからです

ウォーターフォールでは、失敗は「手戻り」であり、即、計画全体すなわちプロジェクトのゴールに影響を与えます。フェーズごとのふりかえりを行っても、経験を活かすのは別の人なので、失敗した本人にはいいことがありません。結果、「なるべく失敗しないように」という行動原理が働きます。

対して、アジャイル開発では、「Fail Fast」で、失敗を恐れず新たな仮説を立て、検証し、失敗を踏まえて次の仮説を立てることが成功につながると考えます。失敗したときの「やばい」「しくじった」「悔しい」という気持ちが冷めないうちにふりかえり、次のイテレーションで本人が改善を講じることができます。「次は失敗しない」という感情はモチベーションになります。そうしてリカバリーができれば、自信につながります。プロジェクトへの影響も、次のイテレーションで計画を見直すことで、挽回できます。

失敗とリカバリーの経験を通して失敗を怖がらなくなることは、アジャイルにはプラスに働きます。これが、アジャイルで失敗をプラスに変えるからくりです。決してアジャイルの方が失敗に対して寛容なわけではなく、むしろ失敗すら価値実現のために活用しているのだとご理解ください。

ヒント015 丸投げ体質の発注者ではアジャイルは確実に失敗する

従来型開発では、ほとんどの場合、発注者が関わるのはプロジェクトの最初の要件定義と最後の受け入れテストだけです。なので、発注者の要望を間違いなく開発者に伝えるために、プロジェクトの開始時に時間をかけて要件定義を行い、開発者はその通りに実装します。そのときに前提となるのはプロジェクト開始時点のビジネス状況や技術です。

ところが、プロジェクトの最後に成果物を受け入れるときには、1年間のプロジェクトであれば１年分、５年間のプロジェクトであれば５年分の状況の変化があります。発注者に悪気がなく開発者が全力を尽くしても、状況の変化によって要件定義通りに作ったものに価値がなくなるという事態がかなりの確率で生じます。

対して、アジャイル開発では、発注者と受注者が、イテレーションごとにリリースされる動く成果物の価値と、次のイテレーションでどのようなユーザーストーリー、すなわち発注者にとっての価値を実現するかを合意します。つまり、１週間〜１カ月のイテレーションごとに要件定義と受け入れテストを繰り返します。発注者がプロジェクトの最初と最後だけ出てきて、後は丸投げにしたくても、最短で１週間ごとに要件定義と受け入れをしなくてはならないので、事実上丸投げの期間はほぼなくなってしまいます。すなわち、否が応でも事実上の丸投げができない仕組みとなっています。代わりに、イテレーションごとに状況に合わせて自分たちの意図を織り交ぜながら全体計画を修正していけるので、「プロジェクトが終わったときに、成果物に価値がなくなってしまう」事態は起こりにくくなります。

発注者はビジネスのプロとして、モノづくりのプロである開発者との協働作業に関わることが、アジャイルを成功させるためには必須です。開発者への丸投げはやめましょう。

ヒント 016 やらせてもらえないアジャイルとやらされアジャイル

筆者がアジャイル開発に取り組み始めた2010年代前半は、「アジャイル」という言葉はまだ一部の人しか知りませんでした。経営層よりは現場の尖った人たちから「アジャイル開発という新しい開発アプローチがあるらしいのでやってみたい」と声が上がっても経営層にはその意味が理解されず、結局アジャイルをやらせてもらえないことがほとんどでした。

空気感が変わってきたのは2010年代後半です。この頃から、「顧客にアジャイルでやってと要望された」「社長にアジャイルでやれと言われたけれど情シスの現場では何をすればいいのかわからない」といった、トップダウンでアジャイル開発をやらされて困っている現場の声がちらほら聞こえてきました。おそらくこの時期に、キャズム理論でいうところのキャズムを超えて、アーリーマジョリティにも、「アジャイル」という概念がこれから普及する、乗り遅れてはいけないものとして広まり始めたと考えられます。

2021年にはIPAが「DX白書」でアジャイル開発の重要性を説き、経済産業省が「GOVERNANCE INNOVATION Ver.2 アジャイルガバナンスのデザインと実装に向けて」という冊子を発行して国を挙げての「アジャイル推し」が推進されています。結果、本書を執筆している2023年の時点では、私たちに相談いただく案件のうち、それなりの割合で上から言われて取り組む「やらされアジャイル」が増えてきているように思います。

アジャイル開発と従来型開発は、どちらかが優れているわけではなく、プロジェクトの特性に合わせて選択するべきものです。「やらせてもらえないアジャイル」とか「やらされアジャイル」といった、他者の判断で取り組むのではなく、目の前のプロジェクトに適したアプローチはどちらなのかを自分で判断し、取り組むことが重要です。

ヒント 017 意外と知らないアジャイルマニフェスト。知らないと何が起こるのか

アジャイル開発の背景にある考え方を記したアジャイルマニフェストについては、この章に入る前に紹介しました。しかしその存在や内容を知っている人は意外に少ないようです。これからアジャイルの学習や実践に取り組む人はもちろん、すでに取り組んでいる人の中にも知らない人が多いのが実態です。

以下のような「アジャイルによくある誤解」は、アジャイルマニフェストを理解していないことから起こっています。

- アジャイルにドキュメントはいらない
- アジャイルに計画はいらない
- アジャイルは早い、安い
- アジャイルは万能である
- アジャイルでは無制限に仕様変更が許されるので開発者の仕事量は増え続ける

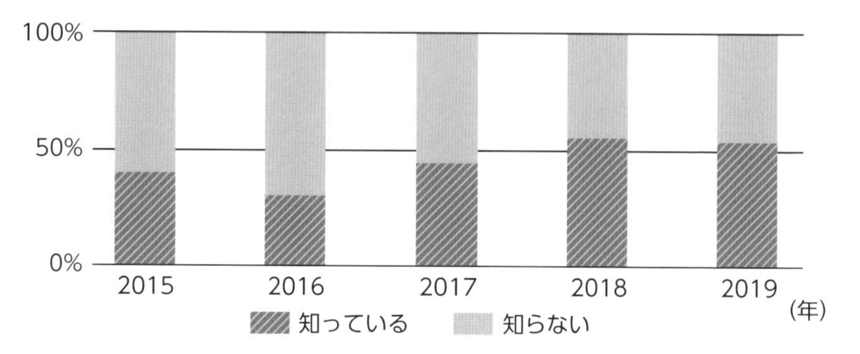

「2019年度 アジャイルプロジェクトの実態」調査結果より抜粋　©PMI日本支部　アジャイルプロジェクトマネジメント研究会

図1-6 アジャイルマニフェストの理解度

この本を手に取っていただいた読者の方の中にも、このような誤解をされている方は少なからずいらっしゃると思います。それがアジャイル開発に取り組んでもうまくいかない理由となっていることは少なくありません。

アジャイルチーム全員がアジャイルマニフェストの内容を理解すれば、アジャイル開発のイベントや進め方がなぜそうなっているのかを理解し、正しく判断できるようになります。ぜひ一度、皆で内容を確認し、意識合わせすることをお勧めします。

ヒント018 アジャイルならば開発経験者不在でも成功できると思い込む不思議

従来型開発で、プロダクト開発経験者不在でチームを立ち上げることはまずないでしょう。「若手に経験を積ませたいから」とプロジェクトマネージャーやチームリーダーに未経験者を抜擢しても、必ずサポート役として複数人の実力ある開発経験者をチーム内に配置するはずです。ところがアジャイル開発では、開発経験の有無を問わず「アジャイルに興味がある人」だけを集めてチームを立ち上げるといった事態がしばしば起こります。

私たちが支援した例では、ソフトウェア開発の内製化にアジャイルを取り入れ、ゆくゆくは複数チームが連携するアジャイルセンターを立ち上げたいというお客さまがいました。最初のパイロットチームは開発経験者を含む6人のチームで、とても良いアジャイルチームに成長しました。次のステップとして、チーム数を４チームに増やしてパイロットチームの経験を横展開しようと考えました。そこで、若手でアジャイルに興味がある人を新たに採用し、新チームにアサインして新しいアジャイルチームを立ち上げました。ところが新しく加わったチームのメンバーは皆アジャイルに対する意欲は高くてもプロダクト開発の経験がなく、設計書に書かれた通りのコーディングはできても設計やテストなどソフトウェア開発で重要になる勘所が全くわかっていなかったのです。パイロットチームの経験を展開しようにも聞いただけでは真似もできず、アジャイルプロセスがうまく回りませんでした。その結果、ユーザーストーリーをうまく実装できないことが続き、計画そのものが頓挫してしまいました。

この会社に限らず、これからアジャイル開発を始めようとする会社の最初のアジャイルチームでは、かなりの割合で開発者デビューの新卒社員や未経験社員が混ざっています。６～７人のチームに１～２人の未経験者であれば問題ないのですが、ひどいところではベテラン開発者が１人もおらず、新卒と入社２～３年の若手社員に「名ばかりリーダー」として技術を知らない管理職がつくこともあります。「アジャイルという新しい方法を実践するには従来型開発の価値観に染まっていない未経験者の方がいいのではないか」「エース級のベテラン開発者は従来の業務で手一杯で新しいことに回す余裕はないから、手の空いている若手と新人にチャレンジさせよう」など、事情はいろいろあるのかもしれません。しかしそのような考え方で経験者不在のまま立ち上げて、苦労し、失敗するアジャイルチームを少なからず見てきました。

アジャイルの考え方やアジャイルプロセスの進め方のコーチングは外部の専門家による支援が可能ですが、そもそもモノづくりを知らなくては開発はできないという点では、アジャイル開発も従来型開発も変わりません。初めてアジャイルに取り組むのであればなおさら「アジャイル型アプローチ」を学び、実践するのに専念できるよう、アジャイルチームには開発経験者を多く入れた編成をお勧めします。

ヒント 019 アジャイルに不慣れなうちは、慣れている人に頼るのが一番の近道

アジャイルを全く知らない人だけで構成されたチームでアジャイル開発を進めようとしてもなかなかうまくいきません。理由は簡単で、お手本がないので「今やっていることが正しいか」を常に疑い、試行錯誤しながら進むしかないからです。頑張ればゴールにはたどり着けるでしょうが、時間はかかります。

ゴルフがうまくなろうと思ったら、教則本を読んで自習するよりもレッスンコーチにつく方が圧倒的に早いのは、悪いところの指摘と、それを直すための対策を提案してもらうことで、試行錯誤する時間を短縮できるからです。時間をお金で買っているとも言えます。

同様に、アジャイル開発に取り組むときも、アジャイルの仕組みややり方をわかっている人のサポートを受けることで、ゴールまでの時間を短縮できます。アジャイル開発にはユーザーストーリーリストに基づくイテレーションごとの計画、イベントの運営、計画の見直しなど、従来型開発にはないノウハウが必要です。社内に経験者がいればその人に頼るのも良いでしょう。経験者がいない場合は、プロのアジャイルコーチの力を借りるのもとても有効です。

ヒント 020 不確実性が低い案件にアジャイルを適用してしまったことによる失敗

不確実性が低い案件とは、プロジェクトのゴールの時点で、現在と状況が変わらず、要件定義した通りに実装すれば計画通りの価値が得られることが強く想定されるプロジェクトです。このようなプロジェクトには見直しが必要な要素がないので、イテレーションごとに計画やユーザーストーリーリストを見直すアジャイル開発よりも従来型開発の方が適しています。そこに無理にアジャイルを入れると、「見直す」「変える」方向のバイアスが生じてしまい、かえって回り道になります。

たとえばこんな失敗をしたことがあります。ユーザーからの依頼は、保証が切れた古いバージョンの開発言語で開発していたプログラムを新しい

バージョンに移行してほしいというものでした。「現在のプログラムの使い勝手は問題ないので、修正は必要ない。とにかく最低限の費用と期間でそのまま移行してくれれば良い。不具合もあるがそれを織り込んだ運用も確立しているのでそのまま移植してほしい」という不確定要素が何もない案件で、今であれば従来型開発でやる方が適切だと判断できます。ところが当時の私は、アジャイル開発のアプローチを取り入れ、「イテレーションごとにお客さまの価値を最大化する」というお題目に沿おうとして、もっと良い方法はないかと見直し、変更できるところはないかを模索しながら、プロジェクトを推進しました。結果、移行が終わった時点で確かにプログラムは少し良くなりましたが、予算も期間も当初想定の２倍かかってしまい、「お金も時間もかけずにそのまま移行したい」というお客さまの真の満足を得ることはできなかったのです。

CHAPTER 2

チームコミュニケーションと役割分担

2-1 チームコミュニケーションを円滑にする

アジャイルチームの主役はプロダクト全体に責任を持つ「プロダクトオーナー」と成果物を生み出す「開発チーム」です。そしてこの両者を引き立て、間を取り持ち、スクラム全体を下支えする「スクラムマスター」からチームが構成されます。

アジャイル開発を進める上での悩みで多いのが、「アジャイルチーム内のコミュニケーションや情報共有がうまくいかない」というものです。私たちの経験から、コミュニケーションの悩みを解決するためのヒントを紹介します。

ヒント 021 コミュニケーションは正論のぶつかり合いよりも言葉のキャッチボールで

アジャイル開発でプロダクトの価値を最大化するためには、何のために、何を、どのように作るかをチーム全員が合意して１つの方向に向かうためのコミュニケーションが必要です。メンバー全員が自分で考え、最善の結果を出すための意見を遠慮なく述べ合うことが大切です。とはいえ、何が最善かはそれぞれの立場によって異なります。たとえばプロダクトオーナーの立場であれば期間内になるべく多くのユーザーストーリーを実現できることが望ましいですし、開発チームの立場であればなるべく品質の高いものを作るためにはある程度の時間をかけることが必要だと考えます。

ウォーターフォールのような上意下達ではなく、異なる意見を重ね合わせて全員が納得できる結論に到達し、「何をどのように作るか」を決めていくことで、目的の達成に近づこうとするのがアジャイル開発のアプローチです。そのため、ときには激しい議論が起こることも当然あります。お互いの正論がぶつかり合うのは決して悪いことではありませんが、正論を言い合って譲らないのではなく、お互いの立場を理解した上で両方の正しさが成立する落とし所を探っていくための言葉のキャッチボールが必要です。議論がヒートアップしてきたときには、まず一拍置いて相手の言葉が返ってくるのを待ちましょう。ここでお互いが冷静になれるようにする調整役としてスクラムマスターがいるのです。まさにスクラムマスターの腕の見せ所とも言えます。1人1人に発言のタイミングを作ることが大切です。

ヒント022 チーム内のコミュニケーションが停滞しているときには、「イイと思うよ～」という同意から始めよう

一方で、ミーティングでもなかなか意見が出てこなくて、チームのコミュニケーションが停滞してしまうこともあります。そんなときに有効なのが、まず、「それ、イイと思うよ～」と相手の言葉への同意を伝えることです。

逆に、自分から話しても何も言ってもらえないときには、相手が答えやすいように発言する工夫をします。たとえば「こういうイメージだけどこれでいいよね？」「これっておかしいと思う？」と投げかけをすれば、チームメンバーは「イイと思う」「これは○○じゃないかな」といった発言をしやすくなります。

ヒントになるのが、カーリング女子、平昌・北京オリンピック日本代表だったロコ・ソラーレの「イイと思うよ～」です。競技のルールとしての73分間の時間制限の中、沈黙している時間があれば大きなムダとなります。彼女たちは、誰かが何かを言ったらすぐに言葉を返すのが最も効率の良いコミュニケーションだと知っているのです。「あなたの言ったことを肯定するよ」と全員が声を出して、意見が合っていることを最短で共有しています。

リモート会議が増え、「イイと思うよ～」の重要性は増しています。対面での会議であれば、参加者は黙っていたとしても顔つきや姿勢で「自分もそう思う」「ちょっと違うんじゃないかな」「俺には関係ないし」……と、表情やしぐさで無意識に発信していますし、相手もそれを受け取りやすいです。リモートであってもカメラで顔の表情が見えれば、黙っていたとしても同意や納得は見て取れますし、考え込んでいる様子や何か言いたそう

なしぐさが見えれば会話のきっかけになりますが、カメラがオフでは、声を出さない人は何を考えているのか本当にわかりません。

リモート会議には可能であればカメラオンで参加し、表情やうなずくなどのしぐさで意図を伝えましょう。セキュリティなどの事情でカメラをオンにできないときは、音声のみが情報を伝える手段になることを頭に置いて、「私もそう思う」という同意だけでも発言することを心掛けてください。

ヒント023 雑談タイムを意識的に作る

会議で発言が出てこない大きな理由の１つが、「こんなことを言ったら相手にどんな反応をされるかわからない」といった相手の人となりを知らないがゆえの不安です。これを解消するためには、雑談タイムを意識的に取ってお互いを知る機会を増やすことが有効です。雑談するための会議を設けて定期的に開催する場合もあります。

オフィスに全員が集まって仕事をしている環境であれば、席の近い人と息抜きに話したり、廊下ですれ違った人と立ち話をする機会があります。普段から会話していると、お互いの人となりがわかるので、会議の場でも相手の反応が予測でき、会話が怖くなくなります。しかし、コロナ禍でリモートワークが増え、会議もリモートが通常になると、人によっては黙々と作業して誰とも会話しない日もありますので、より意識して雑談の機会を作る必要があります。

雑談タイムを設ける際のコツは、ただ雑談しようと言っても話は始まらないので、まずはお題を用意することです。「最近面白いと思ったモノやコトは何？」「最近食べたもので一番美味しいものは？」といった誰でも参加できそうな話題であればみんなが雑談に参加できます。そのうち、「この人はこんな感じの人だな」と、何となく伝わってくると、テーマがなくても雑談ができるようになります。

最終的に雑談タイムが目指すのは、チームメンバーが仲良しになるだけではなく、会話による意識合わせができるチームになることです。全員が作業イメージを言葉で共有すれば、結果として全体の作業を減らし効率化を実現できます。そういう意味では、雑談タイムはチームビルディングの一環とも言えるでしょう。

ヒント 024 「意識すれば見られる場所にある」と「無意識でも目に入る」に見る情報共有の大きな隔たり

プロジェクトを成功させるためには、チームの全員がプロジェクトの目的を理解し、常に意識して考え、行動する必要があります。しかし、それは常時見える場所に置かれているでしょうか。ウォーターフォールの場合、プロジェクトの最初に作成したプロジェクト計画書の中に書かれてしまい込まれ、普段は誰も見ていないことが多いと思います。見えないものはいつか意識の外に出てしまい、忘れられてしまいます。

仕事をしていて無意識でも目に入る場所として、オフィスの壁やPCのデスクトップ、リモートであれば情報共有ツールなどを活用しましょう。チームの方針や決め事を壁に紙で貼ったり、画像化してPCのデスクトップや情報共有ツールの壁紙画像として設定すれば、意識しなくても目に入り、忘れなくなります。

嫌がられても邪魔にされてもウェブのバナー広告がなくならないのは、「こちらが求めていないのに常に表示される」広告は頭の中に残るからで

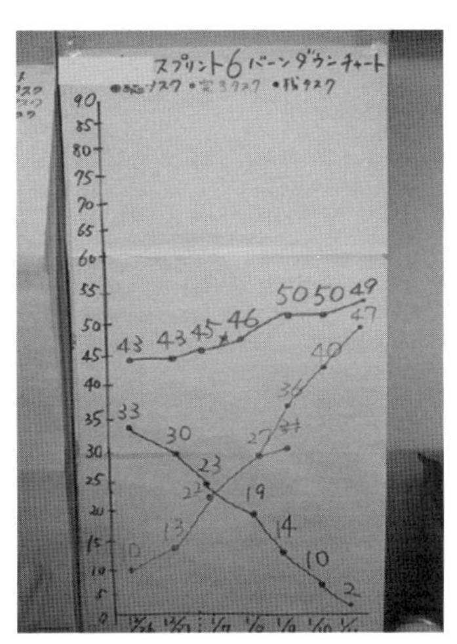

図2-1 リアル現場のバーンダウンチャート

す。同じように、「検索すれば見つかる場所」ではなく、「無意識でも目に入る」ところに情報を置いておけば、必要な情報を確実に共有できます。これが、アジャイルのコミュニケーションツールとして使われる「かんばん」が目指す大きな効果の1つです。リアルであれば壁にタスクボードやバーンダウンチャートを貼る、リモートであればかんばんツールを使ってタスクを可視化し、常に見えるところに置いておくことで全員がそれを確実に共有できます。メールのCcやクラウド上で共有される情報は、「意識して見なくては見られない」ものであり、結局検索されず埋もれがちであることを忘れないでください。

ヒント 025 目に見えない「情報」を物理的な「モノ」に置き換える本当の意味

アジャイル開発ではさまざまなコミュニケーションツールを使用します。ほとんどのツールがPCの画面上で利用できますが、多くのアジャイルコーチが「かんばんだけはリアルな壁に手書きの付箋を貼る方が絶対いい」と言います。

言葉や図形を手書きで紙に書くと、情報という目に見えないものが、現実世界の中に存在する物理的な「モノ」に変わります。それを手に取って動かしたり、何度も目で見ることで、自分とは離れたところにあった情報が自分に身近な存在に変わっていきます。紙に書き、それに何度も手で触

図2-2 リアルなタスクボード

ることで、コトがモノに無意識に変換され、より記憶にも定着しやすくなります。

バーンダウンチャートもExcelで出力するのではなく、壁に貼って誰かがペンで毎日記入する方が、リアルな感触を感じられます。線が太くなったり細くなったり、たまに間違えて消してみたり、といった味わいが、とかく見えづらい「情報」を目に見える物理の世界に定着させる役割を果たすのです。とはいえ、チームがリモートで働いている場合は物理的なモノに置き換えるのは難しいので、代わりにMiroやMuralなどのオンラインホワイトボードで代用するなどの工夫をしています。

ヒント026 ファシリテーターをスクラムマスターに固定化してはいけない

「スクラム」の解説書の中には、「ミーティングのファシリテーターはスクラムマスターの役割」としているものがあります。もちろん、アジャイルチームにスクラムのやり方を定着させるために、お手本としてスクラムマスターがファシリテートするのは問題ありません。しかし、ファシリテーターの役割をスクラムマスターに固定するのは良くありません。スクラムマスターの役割は自分がいなくてもチームが回るように育てていくことであり、スクラムマスターがいなくては議論ができない状態を作るのでは本末転倒です。

チームの自立に効果的なのは、ある程度慣れたら、ファシリテーターを持ち回り制にすることです。単なる当番制ではなく、くじ引きや前回のファシリテーターが次回のファシリテーターを指名するなど、ランダムな要素を持たせるのがお勧めです。こうすると、いつでも全員がファシリテーターを担当するかもしれないという緊張感と主体性を持ってミーティングに参加できます。

ファシリテーターを体験すれば、全員がファシリテーターの気持ちをわかるようになります。「会議で発言がないと困る」「一方的に話す人に相手の話も聞いてもらうためにはどうすればいいのかわからない」など、ファシリテーターの気持ちがわかるので、参加者の立場でもファシリテーターを思いやり、ミーティングの時間を有効に使おうと意識が働きます。

ヒント027 細かいチームルール（ワーキングアグリーメント）を作って守ることから始めよう

「ワーキングアグリーメント」とは、チームの働き方のルールです。プロジェクトを開始する前に、チームの全員で話し合って決めます。

具体的な内容の例としては図2-3のようなものがあります。

ワーキングアグリーメント

・出社時と退社時は挨拶する
・週に1度は必ず定時退社
・リモート会議の時は必ず顔を見せる
・15分、1人で考えてわからなければ他の人に相談する
・1つのテーマで1時間議論して決着がつかなければ、一晩寝かせてお互い頭を冷やす

図2-3 ワーキングアグリーメントの例

こうしたルールを決めれば、共同作業をするときにチームが大切にする「価値観」が共通化され、コミュニケーションコストを減らせます。決定したワーキングアグリーメントは、オフィスの壁に掲示したり、グループウェアの共通壁紙に書くなどして全員に常に見えるようにします。

ルールの数が多すぎると、全ては覚えきれず守れなくなるので意味がありません。守れるルールを優先度の高い順に適切な数、多くても10個以内ぐらいに収めて、全員が必ず守ることが大事です。また、作ったルールは定期的に見直し、新たな問題点の解決策としてルールを追加するだけでなく、全員が意識しなくても守れるようになったルールは削除します。

よくある失敗が、何でもかんでもルール化したり、定期的な見直しといってルールの削除をしないで追加だけして、ルールの数が増えすぎることです。ルールが多すぎると内容を把握できませんし、「ワーキングアグリーメントに沿っているか」のチェックに時間を取られすぎてしまいます。

ヒント 028 協力会社も混合で

開発チームの中に複数の会社の人が入っているときには、全体会議の後に会社ごとに集まって会議を開くことがよくありますが、これはチームにとっていいことはあまりありません。

理由はいくつかあります。まず、単純に、チームの中に小さなグループがたくさんある状態は、コミュニケーションのコストが上がり、非効率だからです。もう1つ、それぞれの会社が自社の利益を最優先にして、ノウハウやスキルを自社のためにだけ使うのでは、会社ごとの部分最適が優先となってしまい、チーム全体の最適にはつながらないからです。

所属する会社が違っても1つのアジャイルチームです。それぞれの持つノウハウやスキルを開示し共有すれば、全体がレベルアップして、相互に助け合える強いチームになれます。チームとして一体感を持って仕事を進めるためにも、会社ごとの会議は極力排除するようにしていきましょう。そうすれば、それぞれの会社ができることが増え、結果的にお互いの利益にもつながっていきます。

今は「独占や囲い込み」よりも「共有や協働」の方がお互いにとってよ

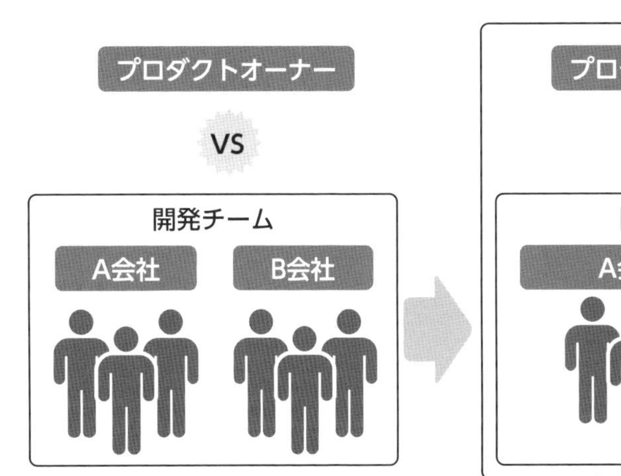

図2-4 協力会社も混合チームで

り利益を上げやすい時代ではないかと思います。

ヒント 029 情報を顧客にもフルオープンして、隠しごとはゼロに

１つのチームとして同じ目標に向かうときに大事なのは、相手が隠しごとをしていないとお互い信じられることです。たとえば「次のイテレーションではこのユーザーリストを実現してほしい」と言うプロダクトオーナーに対して、開発チームが理由も告げずに「できません」と答えたら、そこに不信感が生まれます。

かんばんのような形で現在の状況をプロダクトオーナーと開発チームで共有していれば、開発チームの誰が何をやっていて、次に何に取り組む予定かがわかります。最高のパフォーマンスで動いているチームが「これ以上は無理」と言っているとプロダクトオーナーに伝われば、無理なお願いをされることもありません。それでも新しいことをやってほしいなら、優先順位の変更やプロダクト価値の増分を見込んだチームメンバーの増員などを一緒に検討すればよいのです。そのためには、隠しごとはゼロで、フルオープンである必要があります。

ヒント 030 チケット管理システムは何でもよいので導入しよう

タスク管理はとても重要なのですが、抜け漏れなくやろうと思うととても面倒です。従来型開発でよく行われているのがExcelを使った進捗管理ですが、更新漏れによる手戻り、同じファイルを２人が同時に操作したことによるコンフリクトの発生、それを防ぐための作業待ちなど、課題は山積みです。常に最新の情報を共有できて、誰が何をやったかの記録が残り、変更履歴をたどることができる。そんなタスク管理を手作業でやるのはとても困難です。

これを解決してくれるのが、Redmine、Jira、Backlogなどのチケット管理システムです。チケット一覧でステータスを見れば、全員がリアルタイムで最新の状況を確認できます。作業の記録はコメントにスクリーンショットを貼り付けて簡単なメモを残せばよいですし、チケットを検索すれ

ば過去の作業も、誰がやったかもわかります。変更履歴は自動で残り、必要に応じて巻き戻しができるので、誰がいつ変更したかを気にせず作業を進められます。Excelを使った進捗管理の困りごとのほとんどをシステムが肩代わりしてくれるのです。ツールを使って機械にできることは機械にやらせるようにすれば、より重要な個人間の対話に時間を割けるようになります。

ヒント031 開発チーム内にサブチームを作らない本当の理由

アジャイルチームには、開発に必要なスキルをチームとして備える「機能横断的チーム」であることが求められます。「アーキテクチャ」「テスト」「運用」「データベース」「UI」などといった専門領域を扱うサブチームは作成しません。

サブチームを作ると、そこには必ず壁ができて、情報共有がチーム内だけにとどまり、他チームと連携が取れない「サイロ化」が発生します。サイロ化によってスキルトランスファーの機会が失われ、チームの成長が妨げられてしまいます。

なお、プロジェクトを進めていく中で一時的に高度な専門スキルを必要とするが、それだけに特化した人材をプロジェクト期間を通してチーム内に置くほどのメリットがない場合は、チーム外から一時的に専門家の支援を受けることがあります。スクラムとは別のフレームワークでは、この役割を「サポーティングロール」と定義しているものもあります。

ヒント032 持続可能な開発を促進する＝残業しない、という意味ではない

最高のパフォーマンスでチームが働くためには、最高のコンディションで臨むことが一番大事です。そのために必要な要素の1つが、メンバーの心と身体の健康管理です。体調が不良ではイテレーションの計画通りにタスクを完了できません。計画を立てるときに無理な残業は見込まず、体調を崩したときにはしっかり休んで最高のコンディションを取り戻すのが大事です。イテレーション終了時にメンバーのコンディションが原因で成果

物が計画通りに出せなかったときにも、リカバリー策を検討して次のイテレーションで計画を立て直せるのがアジャイル開発の良いところです。

とはいえ、新サービスのローンチ予定が迫っているなど、ビジネス上の要請でどうしてもイテレーション終了時に成果物を間に合わせる必要が出てくる場合もあります。そんなときには、「来週は少し休もう」を合言葉に残業をがんばるのも、ときには必要になります。

ヒント033 会議のリズム、守れてますか？

ベテランのアジャイルコーチが口を揃えて言うことの1つが「リズムの大切さ」です。リズムとは、一流アスリートのルーティーンのようなものだとも言えます。イチロー選手がバッターボックスに立つときだけでなく日常生活の中でもさまざまなルーティーンを持っていたように、アジャイルチームはリズムを刻むことで最大のパフォーマンスを発揮できます。私たちの経験でも、成熟したアジャイルチームほどリズムを大切にしています。

アジャイル開発の働き方のリズムを作るために有効なのが、会議のリズムを利用することです。イテレーション計画、デイリーミーティング、成果物フィードバック、ふりかえりなどのイベントを実施する会議の曜日と時間を固定しておけば、その会議までに必要なことを終わらせるよう各自が動けます。タスクの消化状況に合わせて会議の日程を調整するのではなく、会議のリズムを守って仕事を進めることで、働き方のリズムを作り、長期的に無理のない計画を立てられるようになるのです。

ヒント034 リモートワークで「一緒に働く」を実現する工夫

2020年以降、コロナ禍をきっかけにしたリモートワークの増加で、アジャイルチームもリモートで働くケースが増えています。オフィスに集まり対面コミュニケーションができる環境と比べると、リモートはどうしても情報共有の内容やスピードが劣りがちです。

それでも、リモートでアジャイル開発ができないわけではありません。

たとえばコロナ前に東京と四国の2カ所に開発チームが分かれたアジャイル開発プロジェクトに関わった経験は、リモートでも役立ちそうに思います（ヒント13で紹介したAgile Japan2016にて筆者発表）。

このときは、まず、離れていてもお互いの様子が見えるように、iPadをそれぞれのオフィスに置いて、誰が席にいるのかをいつでも見られるようにしました。同じオフィスにいれば、顔を上げれば話しかけたい相手が席にいるのか、今話しかけても大丈夫そうかはわかりますが、それが離れたオフィスにいてもわかるようにしたのです。話しかけても大丈夫そうなら、直通の携帯電話に電話をかけます。プロジェクト費用で拠点ごとに携帯電話を支給して、「同じオフィスにいるときのように気軽に話しかけられる」ように仕組みを作っていました。

プロジェクト情報共有も、ツールを使って同じユーザーストーリーリストを共有しつつ、バーンダウンチャートはそれぞれの部屋の壁にも手書きで貼り、東京でしか共有されないこと、四国でしか共有されないことがないよう、必ず情報の同期を取るようにしました。このような工夫で、物理的には2カ所に分かれていても、プロジェクトのスピードは落ちず、「毎日一緒に働く」が実現できていました。

今のリモートワークは個人がそれぞれ別々のところにいますが、Zoomなどを使って疑似的に対面で話せるようにしたり、必要ならブレイクアウトルームの機能を使って個別に話をするなどで、オフィスにいるようなコミュニケーションを工夫できます。情報共有の仕組みも、ホワイトボードツールのMiroやMuralなどは、壁に付箋を貼るようなインターフェイスでかんばん機能が利用できて重宝しています。

2-2 アジャイルチームにおけるそれぞれの役割

アジャイルチームには「プロダクトオーナー」「開発チーム」「スクラムマスター」の３つの役割があります。従来型開発における「発注者」「開発者」「プロジェクトマネージャー」とは役割が異なるので、アジャイル型アプローチに慣れないうちはどのように振る舞えばいいのか悩むことが多いと思います。

それぞれの役割ごとに、アジャイルに取り組んだ方が悩んだり思い違いをしそうな点をピックアップしました。

2-2-1 プロダクトオーナー

アジャイルチームにおけるプロダクトオーナーの役割は、プロダクトの価値の最大化に責任を負うことです。それはプロダクト品質、すなわち使い勝手や目的に対する有効性を担保することです。開発に対する知識や経験はあった方が良いですが、必須ではなく、むしろない人の方が向いている場合もあります。

ヒント 035 プロダクトオーナーは本当に１人でないといけないのか。チーム制も選択肢の１つ

プロダクトオーナーの仕事は非常に多く、かつ重要です。

・ユーザーストーリーリストを作成、管理する

求めるプロダクトの価値を達成するために、ユーザーストーリーリストを通じて「何を作りたいのか（What）」「なぜそれが必要なのか（Why）」を開発チームに伝えます。必要に応じて、ユーザーストーリーを追加したり、状況の変化に対応して順番を並べ替えるのもプロダクトオーナーの仕事です。

・プロダクトの細部にわたり決断する

開発チームがタスクを実装する途中で発生する、さまざまな確認事項に対して、即座に決断を下すのもプロダクトオーナーの仕事です。

たとえば開発チームから「画面のボタン上に表示する文字を『Yes』にするか『はい』にするか」とたずねる確認事項が来たとします。実装する側の視点では、日本語で書くか英語で書くかの違いにすぎませんが、決まらなくては作業が進みません。一方、使う側の視点からは、日本人向けでかつ英語が苦手そうな人向けに提供する画面であれば「はい」が良いですし、グローバル向けで英語表記が中心の画面であれば「Yes」が良い、とプロダクトオーナーであれば、自分のプロダクトの特性を踏まえてすぐに判断できるはずです。

プロダクトオーナーは、このような判断をその場で開発チームに伝えます。「持ち帰って検討」では、開発チームのタスクがその日のうちに完了せず、速度が激減します。

・開発チームの成果物の受け入れを判断する

成果物が目的を達成できているかという視点から受け入れを判断します。ここでも、次のイテレーションにフィードバックを活かすためには、即断即決が求められます。

・ステークホルダーの要望を聞き調整する

エンドユーザーや経営層などの要望を聞き、整理や交渉を行うのも、プロダクトオーナーの仕事です。

以上のようにプロダクトオーナーの仕事は多岐にわたりますが、スクラムガイド2020年版には「プロダクトオーナーは1人の人間であり、委員会ではない」という記述があります。

とはいえ、1人でこれだけの役割を担うのは時間的に難しいという場合もあるでしょう。プロダクトオーナーの作業が多すぎてプロジェクトのボトルネックになったり、急ぎすぎて判断が雑になるのを避けるには、役割の一部を他の人に委任して、複数人のチームで担うのも有効です。実際に私たちが支援したお客さまでプロダクトオーナーをチーム制にしてプロジェクトを円滑に進めている事例が複数あります。

ただしその場合でも、最終決定権を持つのは1人のみとするのが重要で

図2-5 プロダクトオーナーはチーム制にするのも選択肢の1つ

す。合議制を取ると、結局全員の意見が揃うまで決断できず、そこがプロジェクトのボトルネックになってしまいます。プロダクトオーナーが最終決定権を持つための権限委譲がされていないのであれば、プロジェクトの開始前に経営層やステークホルダーとかけ合い、改善のための調整を行います。

ヒント 036 プロダクトオーナーは「お客さま」ではなく、協働する仲間

プロダクトオーナーの役割は、成果物の価値や有効性をビジネス側の視点から定義し、プロダクトの価値を最大化することです。特にプロダクトオーナーが顧客側、開発チームがSIer側といった受発注の関係にある場合には、開発チームがプロダクトオーナーを文字通り「お客さま」扱いしがちです。ですが、開発チームはプロダクトオーナーの言うことを無条件で受け入れて言われた通りに作るだけ、プロダクトオーナーと開発チームの会議は報告と指示だけ、といった進め方では、アジャイル開発はうまくいきません。

プロダクトオーナーと開発チームは協働するワンチームです。イテレーション計画、デイリーミーティング、成果物フィードバックといったイベントは、必ずアジャイルチーム全員が参加しましょう。プロダクトオーナーと開発チームがプロダクト（ビジネス）のプロとモノづくりのプロとい

う対等な関係で議論し、何を作るかをともに考え、できたものを確認するのが、価値を最大化する方法なのです。

ヒント 037 お勧めしたいプロキシ(代理)プロダクトオーナー。成功の秘訣は自分の意思ではなく、プロダクトオーナー本人の意思決定思考になりきること

アジャイルチームにおけるプロダクトオーナーの役割を考えると、顧客やビジネス側の人が担うのが理想的です。とはいえ、本当に権限と責任がある人は他の仕事でも忙しく、開発期間中ずっとフルタイムでアジャイルチームに参加できない場合も多いです。だからといって、プロダクトに対して思い入れがない人が形式的にプロダクトオーナーになっても、チームはうまく動きません。

そんなときにお勧めするのは、フルタイムでプロダクトオーナーの代理を果たす「プロキシプロダクトオーナー」を立てることです。プロキシプロダクトオーナーを開発側から立てた場合に成功させるためには、開発チームの立場や利益ではなく、顧客、ビジネス側の立場で、本物のプロダクトオーナーと同じ意思決定思考をシミュレートできる人を選ぶのがポイントです。もちろん、プロダクトオーナーとのタイムリーな情報共有は必須です。プロキシプロダクトオーナーがチームと密なコミュニケーションを取ることで、プロダクトオーナーを巻き込むのが難しい場合も、開発が滞らないように進められます。

2-2-2 開発チーム

アジャイルチームのプロダクトオーナーと開発チームの関係は、プロダクトオーナーが作りたい「What」を開発チームが実装するという上意下達の関係ではありません。実際に作る「What」は、どのように（How）実現するかと合わせて、開発チームが提案します。

ヒント 038 アジャイルの開発チームはやることがいっぱい

従来型開発では、成果物の要件を定義するのは顧客の仕事であり、開発

者は定義された要件に沿って設計チーム、開発チーム、テストチームがフェーズごとにタスクを実施します。計画ができたときにはどのタスクにどれだけの時間と工数がかけられるかは決められており、開発チームの裁量が入る余地はほとんどありません。

一方、アジャイル開発における開発チームの仕事は多岐にわたります。

・具体的に何を作るのかを考える

実際に作るものはプロダクトオーナーと開発チームの合意で最終的に決めますが、主体的に考え、提案するのは開発チームの仕事です。プロダクトオーナーがユーザーストーリーで提示する「What」はあくまでも「Why」を表現するための一例でしかありません。開発チームのモノづくりのプロとしての知見や観点によってもっと良い「What」を見つけられれば、そちらを採用する方がプロダクト価値の最大化につながります。

・ToDoリストを作成し、作業の見積を算出する

作るものが決まったら、実装のためのToDoリストを作成し、各タスクの作業を「自分たちがこれを実装するのにどのくらいの作業がかかるのか」という観点で見積もります。それを根拠にプロダクトオーナーと開発チームでイテレーション計画を立て、そのイテレーションの成果物に対して合意します。

・計画の実行と進捗管理

プロダクトオーナーと合意したイテレーション計画は、開発チームが自らの見積を根拠にプロダクトオーナーと結ぶ約束です。自分たちがやると言ったことは約束通りに実行できるよう、進捗管理は自ら行い、計画通りに「動く成果物」を作成するための作業を進めます。

・製造品質の担保

品質の担保というと定められた品質基準を達成しているかどうかという意味にとらえられがちですが、アジャイル開発において開発チームが主体的に守るべき製造品質の担保とは、「成果物が想定通りに動くこと」の確認です。開発チームは、イテレーション計画でプロダクトオーナーと合意した「動く成果物」を作ることに対して、モノづくりのプロとして責任を持ちます。主体的に製造品質を担保することは、作り手としての矜持を守ることです。

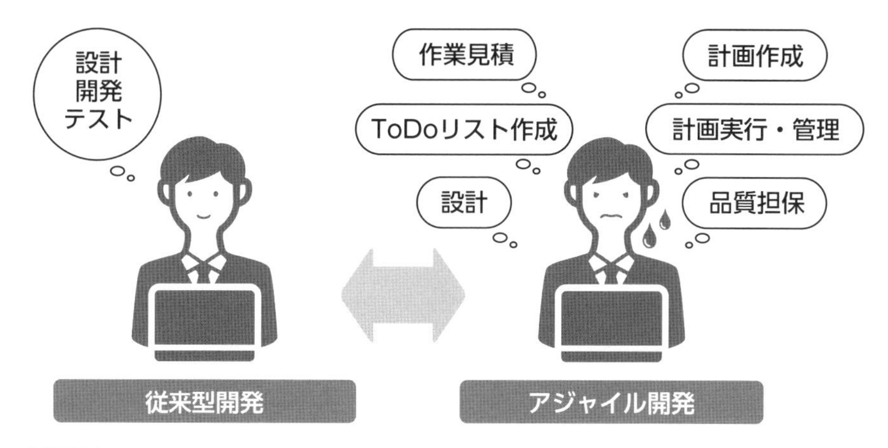

図2-6 アジャイルの開発チームはやることがいっぱい

このように、アジャイル開発における開発チームは、イテレーションごとに自分たちの作業を計画し、タスクを実行します。要件と作業見積は自分たちで決めるので、きちんと守るモチベーションが働きます。従来型開発に比べると相当やることが多く、自発的に動くことが求められます。「仕様を決めてくれないと動けない」ような指示待ちタイプの人は、アジャイルチームでは仕事を進められず、活躍するのは難しいです。

ヒント 039 開発チームは初めから多能工である必要はない。チームの成熟とともに多能工となっていくもの

アジャイル開発では、開発チームに専門領域のみを扱うサブチームは作りません。全員が特定の役割を持たない＝誰もが同じ役割を持つことで、「このタスクは担当者がいないから着手できない」といったムダな待ち時間がなくなります。

とはいえ、最初からチームメンバー全員を何にでも対応できるフルスタックエンジニア（多能工）で揃えるというのは無理があります。アジャイル開発では、メンバー各人を見るとスキルの凸凹があっても、開発チーム全体として見たときにお互いの凸凹を埋め合ってバランスの取れたスキルセットになっていれば、プロジェクトをスタートできると考えます。

プロジェクトを進めていく中では、スキルが不足している人が熟練者の

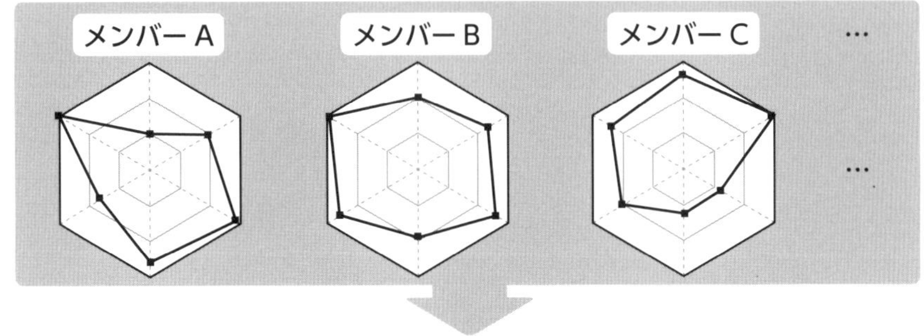

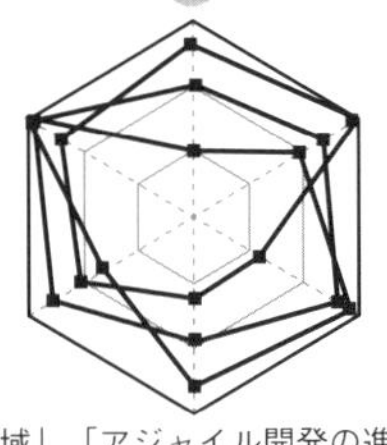

出典：IPA ITSS＋(プラス)「アジャイル領域」「アジャイル開発の進め方」

図2-7 メンバーのスキルの凹凸をチームとして埋める

サポートを受けながらタスクを実行し、経験を積む機会が生まれ、熟練者からのスキルトランスファーが行われます。それによって、各チームメンバーが成長してフルスタックエンジニアに近づいていき、開発チーム全体のパフォーマンスは上がっていきます。

良いアジャイル開発チームは、フルスタックエンジニアが育つ場となります。「フルスタックエンジニアがいないからアジャイルを始められない」のではなく、「アジャイルを始めないからフルスタックエンジニアが育たない」のです。

ヒント040 開発チームの人数制限の罠

アジャイル開発の開発チームの人数として適切なのは５人から９人程度とされています。この目安は、人数が多すぎるとコミュニケーションコストがかかりすぎ、少なすぎるとシナジー効果が薄くなるというのがその理由です。ただし、これを厳密に守ろうとすると、「開発チームの人数がこの範囲に収まらないときにどうするか」で悩むことになります。

チームの特徴を無視して教科書通りの人数になるようにチームを統合・分割するのは避けましょう。たとえば10人の開発チームを５人と５人に分けた場合、それぞれのチームがどのような計画を立てているか、どのような成果物を作ったかを共有するための会議が必要になります。チームを分けると各チーム内のコミュニケーションコストが下がっても、新たにチーム間のコミュニケーションが必要になってきます。なので、チームを分けたときに増えるコストと、チームの人数が増えると大きくなるチームコミュニケーションのコストを比較して、自分たちで決める必要があります。私たちの過去の経験では、チームを分けるコストを避けるために、17人の開発チームでアジャイル開発をした例があります。さすがに大変でしたが、当時はまだ複数チーム化の経験がなかったので、チームを２つ、３つに分けて新たな仕組みにチャレンジするよりは、その方がこのプロジェクトでは効率的だと判断したのです。今ならば、複数チームの知見も経験もあるので、チームを分けると思います。

逆に「予算の都合で開発チームのメンバーが３人しか確保できない」場合でも、人数が足りないという理由でアジャイル開発を諦める必要はありません。確かに開発チーム内でのシナジー効果は薄くなるかもしれませんが、それでアジャイル型アプローチができないわけではないのです。

2-2-3 スクラムマスター

アジャイルチームの３つの役割の中で、振る舞いや役割を一番イメージしづらいのがスクラムマスターだと思います。スクラムマスターは、プロダクトオーナーと開発チームが一体となって円滑に動けるように支援します。

ヒント 041 アジャイルチームの主役は「スクラムマスター」ではない

「アジャイルチームには３つの役割がある」と書きましたが、チームの主役はプロダクトオーナーと開発チームです。スクラムマスターは、主人公を引き立て、活躍の場を整える黒子であり、以下のような仕事を担います。

・プロダクトオーナーと開発チームの間を取り持つ

ビジネス側の視点で「実現したいこと」を言うプロダクトオーナーと、技術側の視点で「実現できること」を言う開発チームは、ともすれば従来型開発でいう「発注者」と「受注者」の立場に分かれて対立関係に陥りがちです。立場の違いで対立するのではなく、対話と合意によって同じ目的に向かって協働する1つのチームとして動けるように、チームをマネジメントします。

・アジャイルチーム全体にアジャイル型アプローチを理解・浸透させる

プロダクトオーナーや開発メンバーの役割や会議、計画、イベントの意味、作成物の扱いなど、アジャイル型アプローチの考え方や振る舞い方をアジャイルチームに説明し、実践を促します。

・チーム外のステークホルダーにアジャイルチームの動き方を理解させる

従来型アプローチが頭にある経営者やユーザーから見ると、「最初に最後までの計画を立てない」「実装が始まる前に設計書がない」といったアジャイル型アプローチに不安を感じるのは当然です。そのままにしておくと、頻繁なドキュメント提出や中間レビューの強要など、チームの余計な仕事を増やすことになります。そうならないように、スクラムマスターは周囲のステークホルダーに対してアジャイル型アプローチの理解浸透を図り、アジャイルチームが邪魔されずにプロジェクトに集中できるようにします。

・その他、プロジェクトの進行を妨げるあらゆる要因を取り除く

上記以外にも、たとえば開発チームのPCのスペックが低すぎて作業効率が悪い、社内会議にプロダクトオーナーが頻繁に呼び出されて開発チームとのミーティングになかなか出席できない、など、プロジェクトの中では、その進行を妨げるさまざまな問題が日々発生します。スクラムマスターはそうした問題についても必要なステークホルダーと交渉し、解決を図ります。

以上、4つ挙げたうち初めの3つは大きく言えばアジャイルをチームや周囲に浸透させることであり、これらを担うためにはアジャイルを熟知している必要があります。つまり初めてアジャイル開発に挑戦するときは、当然、スクラムマスターを完璧に担える人はいません。なので、最初はス

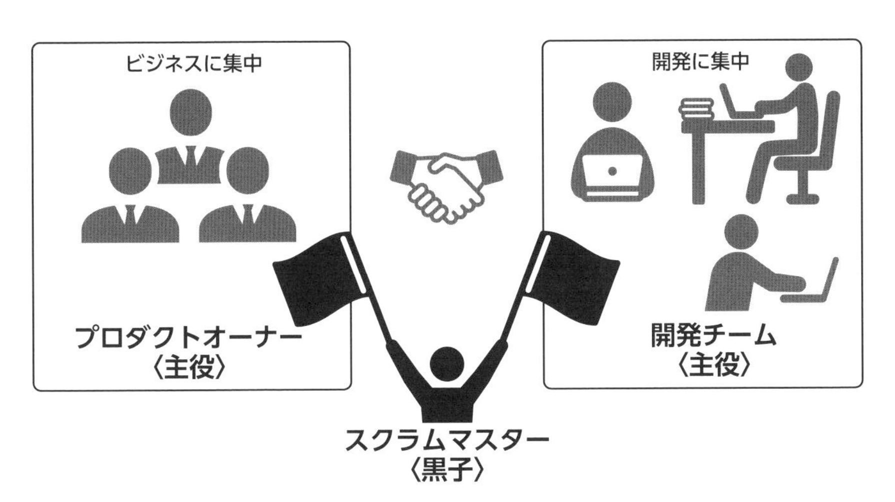

図2-8　スクラムマスターはプロジェクトを陰から支える黒子

クラムマスターの役割のうちこの部分を外部のアジャイルコーチが担うことでスムーズに進むことが多いです。一方、最後の1つの「その他、プロジェクトの進行を妨げるあらゆる要因を取り除く」という役割は、社内事情にくわしい内部の人が担う方が良い場合が多いです。

アジャイルコーチは、最初は部分的な役割を担っている内部のスクラムマスターをサポートしつつアジャイルの考え方や進め方を伝えて、スクラムマスターとして独り立ちさせるようサポートします。

スクラムマスターの役割はとても重要ではありますが、主役はあくまでプロダクトオーナーと開発チームですし、そうなっているチームはとても成果を生み出しやすいです。逆にスクラムマスターばかりが主人公となってしまっているのは、まだまだチームを成熟させられていない状態である証明なので、早く黒子に徹することができるようにスクラムマスターは精進しましょう。

ヒント042　スクラムマスターの真の役割は、自分がいなくても成長し続けるチームを築くこと

アジャイルチームが始まったばかりでメンバーのアジャイルに対する理解が十分でないときは、メンバーにアジャイル型アプローチの考え方や振

る舞い方を伝え、実践を促すのはスクラムマスターの役割です。スクラムマスター自身がアジャイルの熟練者ではないときは、この部分を外部のアジャイルコーチが担うこともあります。

最初は会議のファシリテーションなども、スクラムマスターが見本を見せ、チームメンバーはアジャイルではどのような対話をすれば良いのか、プロダクトオーナーと開発メンバーはどのように振る舞えば良いのかを学びます。

徐々に、チームメンバーがアジャイルの考え方とアジャイルの動き方を身につけ、対話し、自分で考えて動けるようになれば、スクラムマスターの役割はアジャイルチームが動きやすい環境を整えるための対外的な調整がほとんどを占めるようになります。これもプロジェクト開始から時間が経てばどんどん減っていく仕事です。

最終的には、自ら成長し続けるチームを築き、常時スクラムマスターがいなくても回る（必要があればチームメンバーの誰でもスクラムマスターになれる）チームを作るのが、スクラムマスターの理想の姿だと私たちは考えます。複数のアジャイルプロジェクトが常に動いているような、アジャイルに成熟した会社では、専任のスクラムマスターが複数のアジャイルチームを支援する体制で動いていることもあります。

ヒント 043 スクラムマスターとプロダクトオーナーの兼任はなぜ良くないのか

ときどき、プロダクトオーナーとスクラムマスターは兼任してもいいと言う人がいます。しかし、私たちは、基本的にこれは避けた方が良いと考えます。

ただでさえプロダクトオーナーと開発チームは対立しがちです。なのに、間を取り持つ役割のスクラムマスターとプロダクトオーナーが同じ人では、スクラムマスターの発言やファシリテーションも開発チームから見たら「プロダクトオーナーの意見や立場の押し付け」と受け取ってしまいます。対等な立場で対話ができなくては、プロダクトオーナー兼スクラムマスターが出した仕様を開発チームが作るだけの、上意下達の関係になってしまいがちです。

良くない状況ですがありがちなのが、従来型開発のプロジェクトマネージャーのイメージで、組織のラインマネージャーがスクラムマスターとプロダクトオーナーを兼務するというケースです。開発チームの人事評価までプロダクトオーナーとスクラムマスターに握られてしまうと開発チームは言いなりになるしかありません。「対等に働く」の対極にある状況を招く危険があります。これらを避けるためには、やはり原則としてスクラムマスターとプロダクトオーナーの兼任は避けるべきだと考えます。

ただ、これらのデメリットを理解し、それを十分にケアする仕組みを取り入れて兼務をすることまでは否定しません。肝心なのは、なぜ兼務が良くないのかということを十分に理解してそれに対し適応することです。

ヒント044 スクラムマスターはプロダクトオーナー側と開発チーム側どちらの会社が出す方が良いか

プロダクトオーナーが顧客企業、開発チームがSIerと所属が分かれたときには、スクラムマスターはSIer側から出すことが多いです。その際にはスクラムマスターが「対客先の窓口」となって、開発チーム側の指揮命令系統の監督にされてしまいがちです。スクラムマスターの本来の役割ではないばかりか、発注者と受注者という上意下達の対立関係ができあがりやすくなります。

私たちがお勧めしているのは、プロダクトオーナーが顧客である事業会社に所属しているのであれば、スクラムマスターも同じ会社から出していただくことです。ビジネスサイドの部署からプロダクトオーナー、情報システム部門からスクラムマスターを出していただくような形が考えられます。プロダクトオーナーとスクラムマスターの間に発注者と受注者という立場の違いがあると反対意見を言いづらく調整が難しくなりがちです。同じ会社の別部門という横並びの関係であれば、スクラムマスターがプロダクトオーナーの独裁や無茶振りに対する抑止力となります。ただ、この場合同じ企業だからといってスクラムマスターがプロダクトオーナー寄りになってしまうと逆効果にもなります。なので、この場合のスクラムマスターは意識して開発チーム寄りに動くように心掛けるとバランスを取りやすくなります。

2-2-4 従来型開発のプロジェクトマネージャーの役割は誰が果たすのか

従来型開発でプロジェクトマネージャーを担っていた人が陥りがちなのが、プロジェクトマネージャーの役割がそのままプロダクトオーナーの役割であるという勘違いです。

ヒント 045 そのままの役割でアジャイルチーム内に入り込んではNG

従来型開発のプロジェクトマネージャーは、プロダクトの仕様、予算、スケジュールの全てを決定し、進捗管理します。プロジェクトマネージャーと開発者には明確な上下関係があり、開発者はプロジェクトマネージャ

	従来型開発		アジャイル開発
・見積 ・計画立案 ・進捗管理	**プロジェクトマネージャーが行う** プロジェクトマネージャがどう進めるか決定し、開発チームに指示する（上意下達）	⇔	**開発チームが行う** 自分たちがどう進めるかを自分たちで決める 
チームが向かうべき方向はどこか(Why)	**プロジェクトマネージャーが決める** プロダクトの目標ではなく、チーム単体の目標を決める 	⇔	**プロダクトオーナーが決める** ユーザーストーリーリストを用いて実現したいことを言語化する 
どう作るべきなのか(How)	**プロジェクトマネージャーが決める** 仕様レベルまで決定、その通り作るよう指示する 	⇔	**開発チームが決める** どのように作るか自分たちで決める  
リーダーシップの特徴 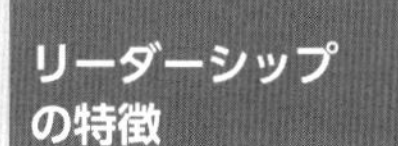	**プロジェクトマネージャーが指示する** ・コマンド型リーダーシップ（指示命令） ・強力なリーダーシップ、地位・権力をベース	⇔	**スクラムマスターが支援する** ・サーバント型リーダーシップ（奉仕） ・皆のサポーター、信頼関係をベース 

図2-9 従来型開発のプロジェクトマネージャーの役割は誰が果たすのか

ーの指示に従って作業を行います。他に、外部との調整なども行います。

これに対して、アジャイル開発では、プロジェクトマネージャーの仕事は3つのロールに分担されています。プロダクトオーナーの仕事は、プロダクトを通して実現したいこと（ユーザーストーリー）とその優先順位を決め、それを開発チームに説明することです。この説明をもとに、プロダクトの仕様を決めて見積と計画を立て、実行するのは開発チームです。進捗管理は開発チーム自らが自律的に行います。イテレーションごとに「動く成果物が計画通りに出せているか」で確認できるので、それ以上の管理はあまり必要ありません。その他のプロジェクトマネージャー的な役割はスクラムマスターが担いますが、チームに対して指示命令の形ではなく、チームが働きやすいよう奉仕する動き方をします。

図2-9は、従来型開発のプロジェクトマネージャーの役割とアジャイルチームの役割を比較したものです。

ヒント 046 なぜプロジェクトマネージャーの役割をアジャイル型アプローチでは分割するのか

従来型開発ではプロジェクトマネージャーに全ての権力が集中していました。大きなプロジェクトをフェーズごとに分割し、多くのサブチームをまとめ上げ計画を進捗させるには、明確な指揮命令系統と多重階層的な組織が効率的だったからです。裏を返せばプロジェクトマネージャーの資質によってプロジェクトの成否が決まります。プロジェクトの規模が大きくなるほどプロジェクトマネージャーの権力と責任は大きくなります。そのため、プロジェクトマネージャーが個人の利益を優先して暴走してプロジェクトが失敗する例や、責任を抱えきれなくなって体調を崩したりメンタルを病んだりする例は後を絶ちません。

アジャイル開発では、従来のプロジェクトマネージャーの役割をプロダクトオーナー、開発チーム、スクラムマスターの3者が分担します。巨大な権力を1人に集中させるのではなく分散させて、政治でいう三権分立のように、お互いが牽制し合いつつ支え合い、苦手なところを補い合います。これによって、プロジェクトマネージャーの暴走やキャパシティオーバーのリスクを回避します。

CHAPTER 3

アジャイルチームの作成物

3-1

プロジェクトの背骨を作るユーザーストーリーリスト（プロダクトバックログ）

ユーザーストーリーリストは、プロダクトで達成したいこと（ユーザーストーリー）を優先順位とともに記述したリストです（スクラムでは「プロダクトバックログ」と呼びますが、本書ではイメージしやすいように「ユーザーストーリーリスト」と呼びます）。

ヒント 047 要件定義書とユーザーストーリーリストの決定的な違いとは

従来型開発における要件定義書には、「このプロジェクトで何を作るか、それはどのような機能を持つか」が書かれており、全て実装することが前提となっています。この通りに作るために、開発者は何をどの順序で作れば効率的かを考えて計画を立て、設計し、実行します。要件定義書にないものは作りません。一度作った要件定義書は、計画が終了するまで変更しないのが基本的な前提となっています（要件定義を変更したら、設計も計画もやり直しになります）。

対して、アジャイル開発におけるユーザーストーリーリストには、ビジネスの観点から、プロダクトで達成したいこと（ユーザーストーリー）が優先順位とともに書かれています。ユーザーストーリーリストの役割はアジャイルチーム全体が、「今は何が一番重要か、次に取り組むユーザーストーリーは何か」を共有することです。状況に応じてユーザーストーリーの順番は見直され、追加や削除もあり得ます。重要なユーザーストーリーから順に実装していくために、優先順位が低いユーザーストーリーは実装されない場合もあります。

ユーザーストーリーは、誰が（Who）、何をする（What）、その理由（Why）の形で記述されており、最も重要なのは理由（Why）です。何をする（What）はあくまでもWhyを満たすための手段の一例であり、実際に作るものはプロダクトオーナーと開発チームの合意で決まります。対して、要件仕様書では、何を作る（What）が詳細まで決められています。場合によってはどのように作る（How）まで決められてしまうこともあります。

たとえば、ビジネスサイドから「ウェブサイトを閲覧しているお客さまに、最寄りのお店をご案内したい」という要望があったとします。最寄りのお店をご案内するためには、お客さまの住所を把握する必要があります。住所を把握するためによく使われるのが、郵便番号をキーにした検索です。

従来型開発の要件定義書では、「郵便番号から住所を検索し、近隣にある店舗を表示する機能を実装する」「画面には郵便番号を入力するフィールドと検索ボタンを設置する」「検索結果として入力された郵便番号と合致する店舗の住所と名称を表示する」などと書かれます。開発者はその通りに、郵便番号を入力する画面、店舗情報を表示する画面、検索するデータベースを設計し、実装します。

対して、アジャイル開発のユーザーストーリーリストには「お客さまが郵便番号を入力すると、近隣の店舗を表示させたい。なぜなら、お客さまに最寄りのお店をご案内し来店を促すためだ」と、作りたいものが、それが必要な理由とともに書かれています。「最寄りのお店をご案内して来店を促すため」が理由なので、それを達成できれば、作るものは郵便番号を使った検索である必要はありません。

このユーザーストーリーを実装するイテレーションでは、まず、プロダ

【従来型開発における要件定義書の場合】

要件（Howが主体）	・郵便番号から住所を検索し、近隣にある店舗を表示する機能を実装する ・画面には郵便番号を入力するフィールドと検索ボタンを設置する ・検索結果として入力された郵便番号と合致する店舗の住所と名称を表示する

【アジャイル開発におけるユーザーストーリーの場合】

ユーザーストーリー（Whyが主体）	・お客さまが郵便番号を入力すると、近隣の店舗を表示させたい。 なぜなら、お客さまに最寄りのお店をご案内し来店を促すためだ

図3-1　要件定義書とユーザーストーリー

クトオーナーが、ユーザーストーリーを開発チームに説明し、価値が「お客さまに手間をかけず、かつわかりやすく近くの店を知らせる」ことであると共有します。実装のテクニックはモノづくりのプロである開発チームの方がよく知っていますから、「郵便番号を入力して住所を表示するよりも、GoogleMapを表示してクリックされた場所の半径500m以内にある店舗の位置にピンを立てる方が入力は簡単だし表示もわかりやすい」「表示されたピンをお客さまが選択すれば、そのまま経路検索で道順が表示できるので来店につながりやすい」といった提案が出てくるかもしれません。より高い価値を得られる成果は何かという視点で、そのユーザーストーリーを実現する「動く成果物」は何かを決めます。

ヒント 048 優先度ではなく優先順位

プロダクトオーナーは、ユーザーストーリーリストのオーナーとして、プロダクトで達成したいことをユーザーストーリーとして洗い出し、優先順位をつけます。アジャイル型アプローチでは、リソースと期間を決めて、その範囲で実現できるユーザーストーリーを優先順位の高い順に実装します。１番がA、２番がB、３番がC、と順位を明確にし、「最初にAをやり、次にBをやり、その次にCをやる」と、誰の目から見ても明確になることが重要です。そして範囲の外にはみ出た、優先順位の低いユーザーストーリーは今回のイテレーションでは実装しません。アジャイルソフトウェア開発宣言の中に、変更への対応は開発者の都合よりもお客さまの得られる価値の最大化を優先して考えるという原則がありますが、同様にユーザーストーリーの優先順位も、開発効率や生産性よりもプロダクトの価値の最大化を重視して、必要な順に並べます。

ありがちな失敗が、ユーザーストーリーに「優先順位」ではなく「優先度」をつけてしまうことです。優先度を「高」「中」「低」とつけてしまうと、同じ優先順位の中でどれを優先して良いか判断できなくなります。だからといってエンドユーザーに確認したら「どれも大事だから全部やれ」と言われてしまうのがオチです。

ユーザーストーリーリストの優先順位は、アジャイル型アプローチで

「これをいつやるのか」「最終的にやらないのか」を決める根拠になります。決定に責任を負うのは、プロダクトの全責任を負うプロダクトオーナーです。とはいえ、順位をつけるのに慎重に時間をかけすぎるのもよくありません。優先順位の見直しはいつでもできるのですから、素早く順位をつけて実行に移すことが肝要です。

ヒント 049 ユーザーストーリーの粒度の極意

アジャイル型アプローチでは、１週間から１カ月程度のイテレーションごとに動く成果物を確認します。すなわち、イテレーション内でユーザーストーリーリストから優先順位の高い順にいくつかのユーザーストーリーを実装します。

ユーザーストーリーごとに、「実装にはどのくらいの作業量が必要か」の見積を開発チームが行います（見積の方法についてはヒント67～71で説明します）。

優先順位の高い順にユーザーストーリーを複数、目安としては最低３つ程度を実装する作業量が、チーム全体のイテレーション期間中の作業量になるように、ユーザーストーリーの粒度を調整します。

１つのユーザーストーリーを実装するのに２～３イテレーションかかる見積であれば、粒度が大きすぎるので分割します。なぜなら、そのユーザーストーリーが完了するまでの間、イテレーションの成果である「動く成果物」がなくなってしまい、レビュー対象がなくなってしまうからです。そうすると、成果のないイテレーションが続き、プロダクトが前進しているのかどうか確認できなくなります。

１つのイテレーションで実装するユーザーストーリーが１つになるのも避けた方が良いです。もし誰かが体調を崩したり、突発的な作業が入ったりして、予定通りに作業が進まなかったときに、やはりそのイテレーションで「動く成果物」がゼロになってしまいます。逆に予定よりも作業がはかどってしまうと、開発チームが悪い意味で余力を持ってしまい全力を出しきれなくなります。だからといって粒度を小さくしすぎて、たとえば20も30もユーザーストーリーを実装してしまうと、管理工数がばかにならず効率が落ちてしまいます。

動く成果物の予定が3つ程度であれば、最悪、1つは予定通りに進まなくても2つは成果物ができますし、「限界まで頑張れば予定を少し前倒しできるかも」という気持ちで開発チームが全力を出せます。そのためにも、ユーザーストーリーの粒度を適切に設定するのが大切です。

ヒント050 ユーザーストーリーに書かなくてはいけないこと、書いてはいけないこと

ユーザーストーリーは、誰のために（Who）、何をする（What）、それが必要な理由（Why）という形で書かれています。この中で「Who」と「Why」は「誰がどんな価値を得るのか」というビジネス観点からユーザーストーリーの位置付けを明確にするものであり、プロダクトオーナーが開発チームに対して説明し、理解してもらう必要があります。一方、「What」は、あくまでもWhyを説明するための一例でしかなく、Whyを理解した開発チームが、どのように作る（How）かという観点でWhatを提案し、アジャイルチーム全体で合意することでプロダクトの価値は最大化に近づきます。

プロダクトに対して熱意と思い入れが強いプロダクトオーナーがやりがちな間違いが、「ユーザーストーリーに、なぜ（Why）を書かず、代わりに何を（What）どのように（How）作ってほしいかを書きすぎる」ことです。実際に私たちが支援したアジャイルチームでこんなことがありまし

〈Who〉として、〈What〉をしたい。なぜなら〈Why〉だからだ

- 〈Who〉⇒ターゲットは誰か
  〈誰のため〉の価値か
- 〈What〉⇒達成すべきゴール
  あくまで一例。プロダクトオーナーだけで確定してはいけない
- 〈Why〉⇒必要な理由
  〈What〉を達成することで得たい価値は何か

図3-2 ユーザーストーリーの書き方

た。

そのチームのプロダクトオーナーは、要件を開発チームにわかりやすく伝えるために、画面のイメージを詳細に作成して提示しました。これが開発チームから「わかりやすい」と好評だったので、ユーザーストーリーを説明するときに画面イメージを提示するのが習慣化していきました。

開発チームは、「ユーザーの欲しいものがわかっているプロダクトオーナーが作った画面イメージなのだから、言われた通りに作れば間違いない」というマインドに徐々に変わっていきました。プロダクトオーナーも、なぜそのユーザーストーリーが必要かを語るよりは、開発チームに提示する要件と仕様作りに注力するようになりました。詳細な仕様を作るのには時間がかかるため、開発チームの手が仕様待ちで止まってしまう事態が多発しました。

最後には、プロダクトオーナーが要件と仕様を提示し、仕様待ちで時間を浪費したためにイテレーション内に動く成果物が仕上げられなくなりました。そのため、開発チームが、中間成果物である設計書を成果物として提示し成果物レビューの対象とするようになり、気づけばウォーターフォールと同じ進め方になってしまいました。その結果、「ユーザーストーリーでどんな価値を実現したいのか」について話し合ったり、開発チームから価値を実現するための提案が全く出なくなってしまい、プロダクトオーナーに言われた通りにはできていても、求める価値を体現できないものが作られることが増えてしまいました。

この例から得られる教訓は、ユーザーストーリーにWhatとHowを書きすぎると、ユーザーストーリーに書かれた、あくまでも一例であったはずの「What」が「仕様」になってしまいかねないということです。仕様を与えられることで開発チームが自ら考えなくなってしまい、結果としてモノづくりのプロではないプロダクトオーナーが実装方法まで考える羽目になって仕様バグ（矛盾）を抱えることにもなりかねません。

プロダクトオーナーは、ユーザーストーリーリストにWhatやHowを書きすぎるのはやめましょう。代わりに「Why」をしっかりと書いて、チーム全員でユーザーストーリーリストを見ながら「次は、誰にどんな価値を提供していくのか」を話し合いましょう。その後にWhatやHowを考え

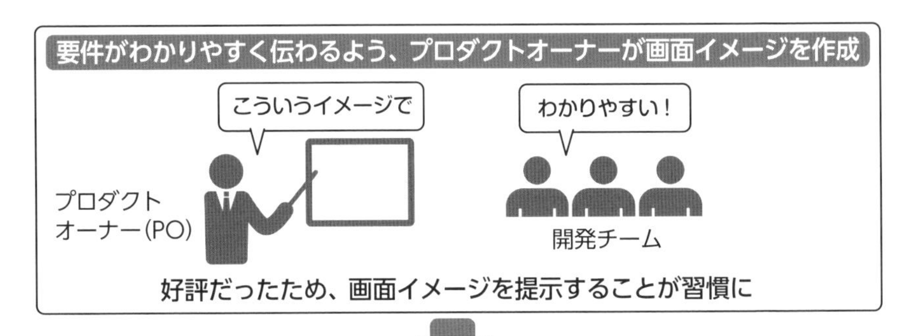

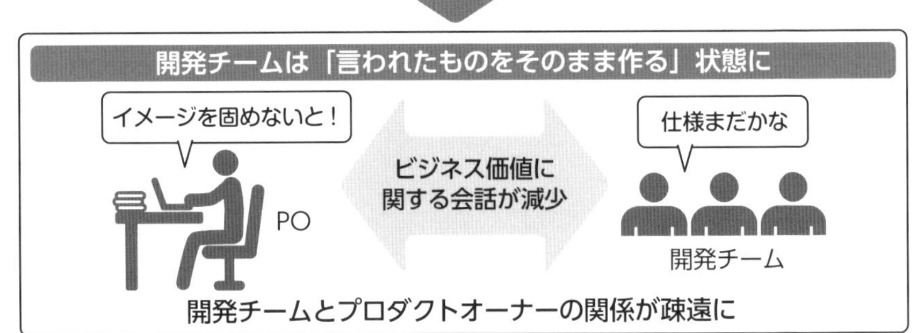

図3-3　ユーザーストーリーにHowを書きすぎる弊害

るのは開発チームに任せた方が、プロダクトの価値を大きくできる確率が高まります。

ヒント 051　ユーザーストーリーとINVESTの罠

ユーザーストーリーを書く観点として、「INVEST」（図3－4）が大事

観点	説明
Independent	独立している。他のユーザーストーリーに依存しない、影響を与えない
Negotiable	交渉可能である。どう作るか(How)について交渉(調整)することができる
Valuable	価値がある。単独でプロダクトとしての価値があること
Estimable	見積可能である。相対見積が可能な程度には十分な情報があること
Sized Right (Small)	適切な大きさ(小さい)である。最低限、イテレーションに収まる程度の適切なサイズに分割されていること
Testable	テスト可能である。受け入れテスト・検証ができるレベルで明確になっていること

図3-4 ユーザーストーリーの観点「INVEST」

と言われています。

しかしこれらの観点のいくつかは相反しており、両立させるのは困難です。たとえば「Negotiable」(交渉可能)とは、どう作るかについて調整可能であると見なせます。つまり、見積は増減する可能性が残っており、「Estimable」(見積可能)とは少々矛盾しています。

アジャイル型アプローチの教科書にはよく「INVESTは重要」と書かれていますが、全てを大事にしようとして身動きが取れなくなっているプロダクトオーナーをたまに見かけます。私たちはINVESTについて「大切だけど厳守するものではない」と考えます。それよりは、ユーザーストーリーを書くときにこういう観点を考慮できているかをチェックするために使うことを提案しています。

ヒント052 MECE(抜け漏れなくダブりなく)の呪縛から抜け出そう

MECE(Mutually Exclusive and Collectively Exhaustive)とは、日本語で言うと「抜け漏れなくダブりなく」です。

ウォーターフォールではMECEを意識することがとても大切です。まず、要件定義書にあることは全て実装し、ないことは実装しないので、必要な要求や機能を漏れなくムダなく洗い出すことが必要になります。全部やることが前提なので、先のことまで考えて、何から手をつければ効率が良いか、重複する作業は先にまとめてやった方が良いか、と考えて漏れや重複がないよう計画を立てる必要があります。

一方で、アジャイル型アプローチのユーザーストーリーリストは、全部を実現するためのものではなく、「一番重要なことは何か」を見つけ出し、それに注力するためのものです。なので、リストの上位のユーザーストーリー以外はあまり意識しすぎないことが重要になります。

何カ月も先に予定されているユーザーストーリーについて考えすぎても、それを実際にやるかどうかはそのときにならないとわかりません。次のイテレーションであれば今とそれほど状況は変わらないと予想できるので、次のユーザーストーリーのことを少し考慮しておくぐらいは良いと思いますが、優先順位の低い、やらない可能性があることに時間を割きすぎるのはムダにつながると考えるのです。

ウォーターフォールではムダを省くためにMECEを重視していましたが、その習慣をアジャイル型アプローチに持ち込むと、逆にムダな作業を実施してしまいがちです。MECEに対する考え方が決定的に異なるのです。アジャイル型アプローチを取るのであれば、MECEにとらわれすぎず、目の前のユーザーストーリーの実現に全力を尽くしましょう。

ヒント 053 ユーザーストーリーの分割の方法

ヒント49で、イテレーションごとに3つ程度以上のユーザーストーリーを実装できるように計画を立てると述べました。

とはいえ、ユーザーストーリーごとに実装にかかる作業量を開発チームが見積もってみたら、優先順位の高い順に複数のユーザーストーリーがうまく収まらないことは、珍しくありません。その場合、「そのイテレーションで最も優先順位の低いユーザーストーリーは仕掛かりの状態で次のイテレーションに持ち越す」のでは、イテレーションの最後に終わらないユーザーストーリーがあることが常態化してしまいます。だからといって、「作業量がちょうどいい、優先順位の低いユーザーストーリーを先に実装する」のでは、優先順位を明示しているユーザーストーリーリストの意味がありません。

アジャイル型アプローチでは、ユーザーストーリーをうまく分割し、開発チームがイテレーションで実装できる作業量に収めようと考えます。

分割後のユーザーストーリー（図3-5のユーザーストーリーD-1、ユーザーストーリーD-2）についても、それぞれで「動く成果物」を確認できるように、かつ優先順位が高いものを先にやるように分割して、イテレーションの成果を最大化する計画を立てます。

また、図3-6に示すようにイテレーションの実施途中で、計画時に想定していたよりも実装に時間がかかり、予定していたユーザーストーリー

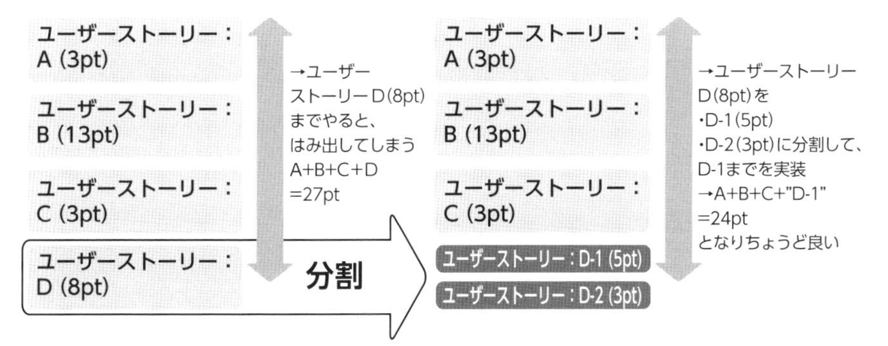

図3-5　ユーザーストーリー分割のイメージ

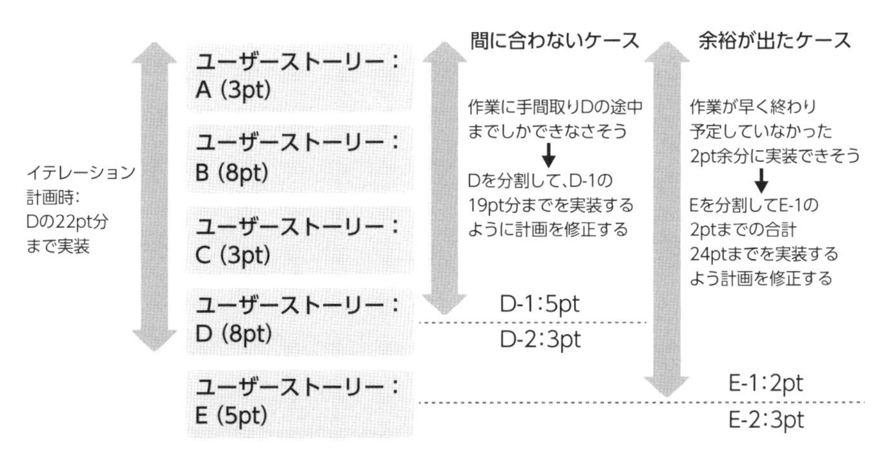

図3-6　計画通りにいかないときの考え方

を最後まで実装できないこと（間に合わないケース）があります。逆に、想定していたよりも早く終わって、次のユーザーストーリーに着手できそうなこと（余裕が出たケース）もあります。いずれにせよイテレーションの半ばには見通しが立ちますので、その時点でユーザーストーリーの分割と計画の見直しを検討し、プロダクトオーナーと開発チームで合意します。

ヒント054 イテレーションごとの動く成果物は縦割りではなく横割りで考える

アジャイル型アプローチでは、イテレーションごとに必ず「動く成果物」が完成します。従来型開発では仕様書に沿って機能を部品に細分化し、1つ1つの機能ごとに設計、実装、単体テストを行い、最後につないで結合テストをするので、部品が全部できあがるまでつなぐことはできません。対して、アジャイル型アプローチでは、機能で区切らず、ユーザー視点から見て価値を得られるユーザーストーリーから優先して実装します。この違いを私たちは「縦割り」「横割り」と呼んでいます。

たとえば、お客さま情報を顧客データベースから検索して画面上に表示するプログラムを考えます。お客さま情報にアクセスするので、限られた担当者だけが利用できるように、IDとパスワードによる認証が必要です。ログイン機能には、パスワードを忘れたときのためのパスワードリセット機能と間違ったパスワードを入力したときのパスワードロック機能が欲しいです。顧客データベース検索機能は、検索キー入力時のエラーチェック

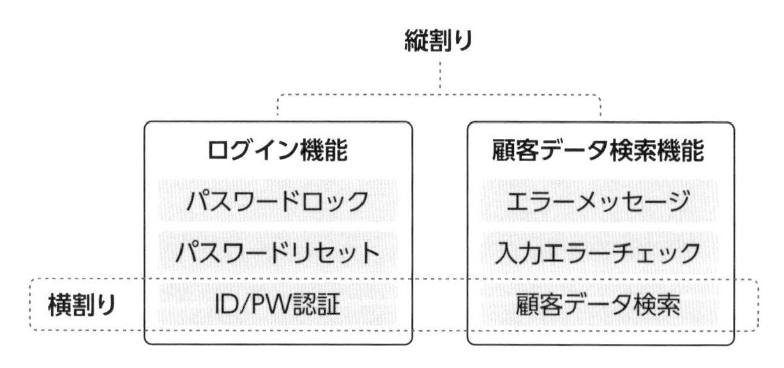

図3-7 成果物は縦割りではなく横割りで考える

や該当者がいなかった場合のエラーメッセージなども作り込む必要があります。

従来型開発では、ログイン機能と顧客データベース検索機能それぞれを別々に作ります。ログイン機能はパスワードリセット機能やパスワードロック機能も組み込んでテストを行い、データベース検索機能はエラー処理まで組み込んでテストを行います。2つの機能がそれぞれ単体でテストを通ってから、2つをつないで結合テストを行います。ログイン機能だけでは意味がありませんし、ユーザー認証機能がなくてはデータベースに接続できないので、結局2つの機能ができて結合テストが通るまではこのプログラムは価値を確かめることができません。

これに対して、アジャイル開発では、「担当者がログインして顧客データベースを検索できる」という価値を実現するために必要な最低限を最初に実装します。具体的には、パスワードリセットやパスワードロック、エラー処理などは後回しにして、とにかく「担当者がIDとパスワードでログインしたデータベースから、顧客データを検索して表示する」機能を先に作って結合テストまで終わらせ、動くことを確認して、イテレーションの「動く成果物」とします。

イテレーションの成果物は、機能ごと（縦）に作るのではなく、顧客価値をもたらす部分だけを取り出して動くようにつなぐ（横）発想で考えることで、実現する価値をイテレーションごとに足していけるのです。

ヒント 055 イテレーション内に予定通りにユーザーストーリーが終わらなかった場合はどうするべきか

イテレーション内に予定通りにユーザーストーリーが実装できなかった場合、できたところまでをユーザーストーリーとして分割し、そこまでを「動く成果物」としてリリースすることをまずは考えます。しかし実際にはその後の行動こそが大事になります。

イテレーション内に予定通りにユーザーストーリーを実現できない状態になるのにはさまざまな理由が考えられます。そもそも見積が甘かった、飛び込み作業があり手が回らなかった、などです。終わらなかったときは、「なぜ終わらなかったのか」を、イテレーション最後のふりかえりというイベントで明らかにして、次はどうすれば良いかをアジャイルチームで考えます。優先度の高い緊急作業が発生して遅れたのであれば、その作業の発生自体は受け入れ、どのくらいの確率で起こるのかを予想し、見積時にマージンを取ります。見積が甘かったのであれば、原因が何かを追究し、次回以降のイテレーションで終わらないユーザーストーリーが生まれないためには何に気をつければ良いのかを話し合います。ここに挙げた原因や対策はあくまでも一例であり、現実にはさまざまな原因があると思うので、そのチームなりの解決策を1つずつ自分たちで見つけていきます。

ふりかえりの結果は、次のイテレーション計画に必ず活かします。イテレーション計画とは、「どのユーザーストーリーを実装するのか」をプロダクトオーナーと開発チームの間で話し合った結果の約束です。「アジャイルだから予定通りに終わらなくてもいいよね」と言って先延ばしにするのではなく、終わらなかったときこそ次は約束を守れるよう最大限の努力をする必要があります。

3-2

ToDoリスト（スプリントバックログ）はイテレーションごとに作って、捨てる

ToDoリストは、イテレーション計画でどのユーザーストーリーを実装するかが決まったら、開発チームが作成します。Whyを中心に記述されたユーザーストーリーを、具体的に「何を（What）」「どのように（How）」作るかに変換し、さらに詳細なタスクに落とし込んだリストです。タスクを全部終わらせると動く成果物が完成し、ユーザーストーリーが実現します（スクラムでは「スプリントバックログ」と呼びますが、本書ではイメージしやすいように「ToDoリスト」と呼びます）。

ヒント 056 ToDoリストとWBSの違い

開発チームの作業用のリストといえばウォーターフォールのWBS（Work Breakdown Structure）を思い浮かべる人も多いかもしれません。タスクを洗い出してリスト化する点では確かに共通点もあるのですが、結論から言うと、アジャイル型アプローチのToDoリストとWBSは似て非なるものです。

WBSは洗い出したタスクに対して、期日と担当者を決めます。WBSに基づいて担当者ごとの予定をガントチャートで提示され、全員がその通りに割り当てられたタスクを進めます。

それに対して、ToDoリストは、タスクについて誰がやるかも、いつまでにやるかも決めません。予定通りに実施するのではなく、チーム全体で1つでも多く、早く完了させます。タスクごとに担当者を決めていたのでは、担当者のうち1人でもタスクを完了できないとユーザーストーリーを実現できません。なので、全てのタスクは「チームのタスク」として、遅れている人がいたら他の人が手伝ったり、交代したりして、イテレーション内に全てのタスクを完了させます。

もう1つの大きな違いは、寿命です。WBSはプロジェクトの計画時に作成され、全期間にわたって進捗管理のベースとなります。対して、ToDoリストはイテレーション開始時に作成され、イテレーション終了時に破棄されます。イテレーション終了時にはToDoリストも完了しているのが原則だからです。どうしても終わらない場合は次のイテレーションに持ち越される場合もありますが、なるべくそうならないように開発チームは全力で取り組みます。そして次のイテレーション開始時には、それまでのイテレーションの成果や進捗を踏まえて、次のToDoリストを作成します。こうしてイテレーションのたびにToDoリストの破棄と作成を繰り返すので、そのタイミングで変化を受け入れられます。その結果、状況の変化に柔軟に対応できるのです。

ヒント057 ToDoリストの作成にプロダクトオーナーを参加させる具体的なアイデア

「ユーザーストーリーをタスクに分解するのは開発チームの役割だから、プロダクトオーナーは口を出さない方がいい」と考え、ToDoリストの作成は開発チームに任せて参加しないプロダクトオーナーは少なくないようです。たとえば、イテレーション計画のミーティングも2部制にして、1部ではプロダクトオーナーと開発チームを含めたアジャイルチーム全員でユーザーストーリーリストの内容と優先順位を確認してイテレーションのゴールを決定し、2部は開発チームのみでToDoリストの作成と見積の詳細化をするといった会議運営が行われがちです。

アジャイルマニフェストに「ビジネス側の人と開発者は、プロジェクトを通して日々一緒に働かなければなりません」とありますが、タスクの分解とToDoリストの作成は重要な協働作業の1つです。ここにプロダクトオーナーがいなかったらどうなるでしょうか。

たとえば「作成する画面上のボタンの色を赤にするか緑にするか」を決定するのはコーディングのために必要ですが、開発チームには判断できません。開発チームにとっては赤と緑の差は単なる色指定コードの違いであって、どちらか一方を選択する必然性がないからです。「このボタンはユーザーに安心して押してもらいたいので、安心感を持ちやすい緑にする」

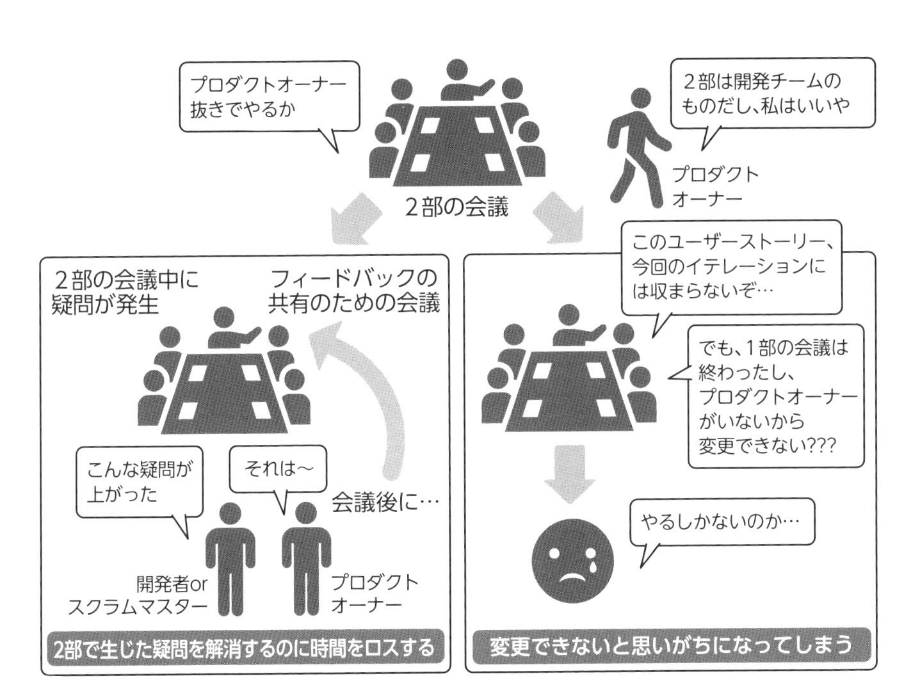

図3-8 イテレーション計画を2部制にした際に陥りがちな罠

と決定できるのはプロダクトオーナーです。イテレーション計画会議の2部を開発チームだけでやっていたら、こんな簡単なこともその場で決められません。そうなると、プロダクトオーナーの意図を推測するためにあれこれ考える、回答を待つ、確認のための新たな会議の時間を取るなどの対応が考えられますが、いずれもそれまでは手が止まってしまい、時間をムダにしてしまいます。

あるいは、1部で実施を決めたユーザーストーリーをタスクに分解してみたら作業量の見積が増えて、イテレーション内に「動く成果物」ができる見込みが立たなくなってしまう場合があります。そんなときでも、その場にユーザーストーリーの優先順位の決定権があるプロダクトオーナーがいないと計画を変更できないと思ってそのまま進めてしまい、結局、継続不可能なペースで残業を繰り返すことになります。その結果、チームのパフォーマンスが落ち、頑張って長時間働いても品質を保ったままユーザーストーリーを予定通りに完了できないことになりがちです。

このような事態が発生していても、その原因の１つがToDoリスト作成の場にプロダクトオーナーがいないことであることに、プロダクトオーナー自身はなかなか気づけません。その背後には、ウォーターフォールでありがちな「丸投げ意識」があります。開発は開発チームの仕事で自分の仕事ではないと考えているので、「作業の途中で手が止まってしまう」「計画通りにタスクを完了できない」問題は開発チームの問題に見えてしまい、自分ごとにならないのです。

これをわかってもらうために、私たちの経験では、逆に「現状の問題点」から話を始めるとうまくいくことが多いように思います。

・イテレーション計画で決定したユーザーストーリーが完了できないことが増えていませんか？

・ToDoリスト作成後の開発チームからの質問が多くて、かえって予定外の時間を使う羽目に陥っていませんか？

・問い合わせ対応をまとめて翌日に回したら、開発チームのスピードが落ちていませんか？

といった質問をプロダクトオーナーに投げかけることで、今、発生している問題を、プロダクトオーナーの「自分ごと」の問題に変換しています。「確かにそういったことで困っている、改善したい」という反応があったら、その理由はプロダクトオーナーがToDoリスト作成に参加していないからだと話します。そこでプロダクトオーナーが「自分が参加することで改善されるなら参加しよう」と思ってくれたら成功です。

そのための地ならしとして、プロダクトオーナーには「開発チームに丸投げではアジャイル型アプローチはうまくいかない」ことを理解してもらう必要があります。ウォーターフォール型のアプローチでは、プロジェクトの最初に要件定義をしたら、発注者には最後の受け入れ試験に入るまでは進捗確認以外の役割がなく、基本、開発者に丸投げができます。一方、アジャイル型アプローチでは、イテレーションごとにイテレーション計画を立て、動く成果物の確認を行いますし、イテレーションの途中でも日々確認事項や状況に応じた計画の変更が発生します。開発チームに丸投げにできる期間はなく、常にプロダクトオーナーの必要な場面が存在します。ToDoリストの作成に参加することは、その１つにすぎません。

ヒント 058 ToDoリストに載せるタスクの作り方

アジャイル型アプローチでは、タスクは「チームに対するタスク」として扱い、特定の担当者を割り当てません。逆にいえば、タスクは、誰が実行しても同じ結果が得られるように作られている必要があります。

ユーザーストーリーをタスクに落とし込むことで初めて、開発チームは「具体的に自分たちが何をするのか」を決めることになります。誰がやっても同じ結果を得るためには、基本設計から詳細設計に当たる内容を開発チーム全員が共有している必要があります。そのために、イテレーション計画時には、開発チーム全員が参加して、具体的に何をどのように作るかを詳細に決める「モブ設計」を行って、タスクを洗い出します。

モブ設計を行うメリットは、設計を全員で行うことで、属人化を排除しやすくなることです。分担してそれぞれが担当分の設計を行う方法に比べて、担当者による得意分野の違いや流儀の違いを埋めるための説明や議論の時間が不要になり、モブ設計が完了した時点で全員がタスクに対して同じ理解を持つことができます。熟練者も新人も同じレベルで理解するために、ソフトウェア開発であればソースコードを１行ずつ確認してどの行をどう変更する、どの処理にどの関数を使う、といったところまで詳細に検討します。

結果、モブ設計が完了した時点で、「どう作るか」を考えなくても良いレベルまでタスクが詳細化されています。特定の担当者にしか実行できないタスクがあれば、それはモブ設計のレベルが浅いということですので、全員で話し合ってさらに詳細化する必要があります。

開発チームが実行するタスクには、ユーザーストーリー由来以外のタスクもあります。ヒント60で説明する突発タスク以外にも、たとえば「ふりかえり」で出てきたチームのやり方の改善に必要なタスク、次のイテレーションで導入したい新しい技術を勉強するためのタスク、勉強会を開催して前回のイテレーションで不足していた知識を共有するタスクや、健康診断を受ける、ワクチンを接種する、作業報告書を作成する、年末調整に対応する、などの、プロダクトには直接関係はしないが、開発チームメンバーの時間を確実に奪うタスクが含まれます。

よくある失敗が、ユーザーストーリー由来以外のタスクをToDoリストに入れずに計画を立ててしまうことです。ToDoリストに入っていないタスクに時間を取られれば、当然、予定通りにタスクを完了できなくなります。イテレーション計画時には、ユーザーストーリー外のタスクも必ずToDoリストに入れるようにしましょう。

ヒント 059 進捗管理と適切なタスクの粒度

私たちの経験では、ToDoリストに記載するタスクの大きさは「半日以上1日以下でできる程度」にするのがいいように感じています。「半人日から1人日」ではない点に注意してください。アジャイル開発では、1人でやった方が良いタスクは1人で、2人以上で協力した方が良いタスクは2人以上で実行します。1つのタスクを、最も効率よく実行できる人数で

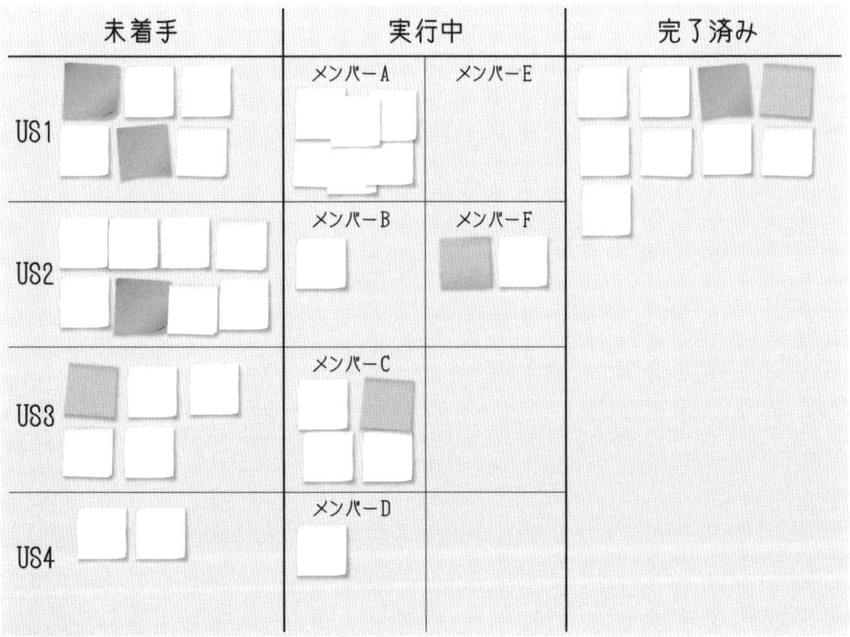

	未着手	実行中		完了済み
US1		メンバーA	メンバーE	
US2		メンバーB	メンバーF	
US3		メンバーC		
US4		メンバーD		

※US：ユーザーストーリー

図3-9 タスクボード

半日から１日で終了する大きさで設定するのです。それくらいの粒度にすれば、イテレーションの進捗管理がしやすくなります。

イテレーションの進捗管理の要点は、それぞれのタスクが「未着手」「実行中」「完了済み」のどの状態にあるかを開発チームの全員にリアルタイムでわかるようにすることです。たとえば、図３-９のようなタスクボードでは、１つのタスクを１枚の付箋としてボードに貼り付け、実行する人が着手、完了のタイミングで移動させてタスクの状態を可視化しています。タスクの完了時には、必ずタスクの成果をそれまでの成果物とマージしてテストを行い、最新の成果物へとアップデートします。

タスクを完了させるのに２日も３日もかかると、１日の終わりに仕掛かりのタスクばかり残ってしまい、進捗が見えなくなってしまいます。だからといって、10分、30分といった細切れのタスクばかりでは、タスクを完了するためのテストやボードの管理に時間を取られて効率が下がってしまいます。「１日が終わるときに、１つか２つ、完了したことが目で見える」粒度のタスクが、アジャイル開発を進めるには適していると思います。

ヒント 060 突発タスクの取り扱い方

アジャイル型アプローチでは、ToDoリストをイテレーションの直前に作成します。ウォーターフォールに慣れた人は、先のイテレーションまで考えてタスクを洗い出そうとしがちですが、アジャイル型アプローチでは状況が変わればユーザーストーリーリストの並べ替えやユーザーストーリーの分割が発生します。当然、必要なタスクも変わってきます。変わってしまうかもしれない計画を先回りして立てるのは時間のムダになる可能性が高いのでやらない方が良いと考えます。それよりは、直近のイテレーションで実施するユーザーストーリーを、最新の状況を踏まえてタスクに分解し、状況変化に対応したイテレーション計画を作ることに注力します。

とはいえ、イテレーションの途中で「ビジネス上の状況が変わりユーザーストーリー自体が見直される」「タスクを実施している途中で新たに実施しなくてはいけないタスクが出てきた」「致命的な不具合が見つかって優先的な対応が必要になった」など、イテレーション計画時には想定していなかったがイテレーション内に完了しなくてはいけない「突発タスク」は必ず発生します。あるいは、「近所で落雷がありネットワーク機器が壊れ、作業ができなくなった」「学級閉鎖で子どもが昼間も家にいるので世話をしなくてはいけない」といった、タスクを想定通りに実施できない状況も生まれます。突発タスクや状況の変化によってイテレーション計画が守れないとわかったら、可能な限りリカバリーの方法を考えますが、それでも難しい場合はイテレーションの途中であっても計画の見直しを検討します。

イテレーション計画を変更したとしても、そのイテレーションの成果物がゼロになる事態はなるべく避けられるのが、アジャイル型アプローチの良いところです。肝になるのは、ヒント49で述べたように、「イテレーション内で３つ程度以上のユーザーストーリーを実施し、優先順位の高い順に完了する」ように計画を立てることです。

イテレーションの前半で計画を見直すのであれば、実現するユーザーストーリーの数を減らしたり分割して、イテレーション終了時にいくつかのユーザーストーリーが完了するように計画を立て直せます。イテレーションの後半で計画を見直すことになった場合は、それまでに完了しているユーザーストーリーが１つか２つはあることが期待できます。したがって、残りの作業が予定通りに終わらなかったとしても、イテレーションの成果物はゼロにはなりません。

3-3

動く成果物（インクリメント）と品質

「動く成果物」とは、開発チームが作成する、イテレーションの成果です。過去の成果物と一体化（マージ）してテストし、正しく動くことが確認できているので「動く成果物」と呼びます（スクラムでは「インクリメント」と呼びますが、本書ではイメージしやすいよう「動く成果物」と呼びます）。

ヒント 061 「動く成果物」は常に最新で1つ

ウォーターフォール型アプローチでは、まずプロダクトの全体像を描き、効率よく作れるように部品に分解し、部品ごとに作ったものを最後に結合します。対して、アジャイル型アプローチでは、優先順位の高いユーザーストーリーから順番に実装して、徐々にできることを増やしていきます。完了したイテレーションの成果が過去の成果物と一体となって動くことが確認できれば、それが新たな成果物となります。

イテレーション途中で実施するタスクも、完了時にはその時点での最新の成果物にマージし、テストして、動くことを確認するのが理想です。タスク完了時にマージするのが難しいなら1日の作業の終了時にマージする、それも難しければユーザーストーリーの終了時にマージするようにします。

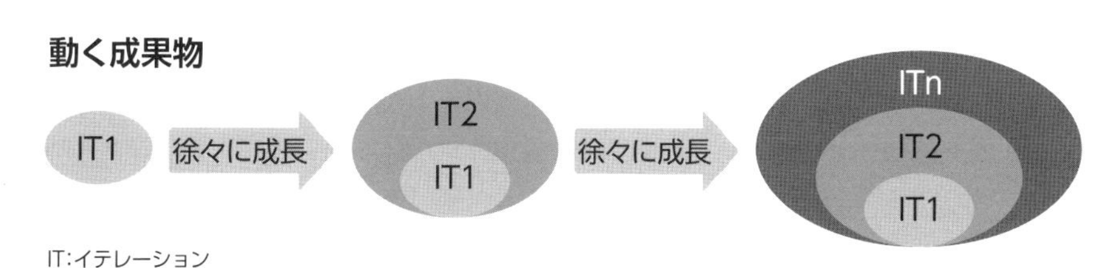

図3-10 動く成果物は常に最新で1つ

これにより、「ユーザーストーリーリストのどこまで実現できているか」を、誰もが動く成果物を見て確認できるようになります。

ヒント 062 プロダクト品質を担保する

アジャイル型アプローチでユーザーストーリーを達成するために、何をどのように作るかを決めるのは、開発チームです。作ると決めたものをイテレーション期間中に作り、それまでの成果物とマージしてテストして、思った通りに動くことを確認するのも開発チームの責任です。しかし、それがそのままプロダクトとしてリリースできるわけではありません。開発チームが提出した「動く成果物」がユーザーストーリーを本当に達成できているかを、使い勝手や目的に対する有効性の観点から確認するのは、プロダクトオーナーの責任です。プロダクトオーナーが受け入れて初めて、価値あるプロダクトとして対外的にリリースできます。
「品質」というと、とかく作る人、すなわち開発チームの責任だと考えられがちですが、開発チームが主体的に担保するのは「成果物が思った通りに動作する」という「製造品質」です。価値を生むプロダクトであるためには、「その成果物がユーザーストーリーの目的達成に寄与する」という「プロダクト品質」が担保されていることが重要です。イテレーションの最後に提出された「動く成果物」の製造品質が担保されていたとしても、プロダクト品質が不十分だったとしたら、それは、ユーザーストーリーの意義や求めるものを開発チームに伝えきれなかったプロダクトオーナーの責任です。

とはいえ、価値を生むプロダクトを実現するために、プロダクトオーナーと開発チームは、お互いに責任を押しつけ合うのでなく、それぞれが自分の役割を果たしつつ互いにサポートし合うことが大切です。

ヒント 063 アジャイルにおける「共通化」のコツとは

共通化の考え方も、ウォーターフォール型アプローチとアジャイル型アプローチでは異なっています。ソフトウェア開発を例に、その違いを説明します。

従来型開発において、効率化のために重要なのが「共通化」です。複数の機能で共通して利用する画面やロジックは先取りして部品として切り出し、本格的な開発が始まるまでに準備します。それぞれの機能が部品を呼び出して使うようにすれば、複数の人が同じものを別々に作る必要がなくなりますし、共通部分に修正が必要になったときには切り出した共通部分を直すだけで済むようになります。

一方で、アジャイル開発では、開発効率よりも最短で価値を得ることを優先します。優先順位が高いユーザーストーリーAを実現するために必要な部分の中に、優先順位が低いユーザーストーリーBでも必要な部分が含まれていた場合は、いきなり共通化を考えるのではなく、ユーザーストーリーAの方で必要な部分を先に作ります（図3-11）。

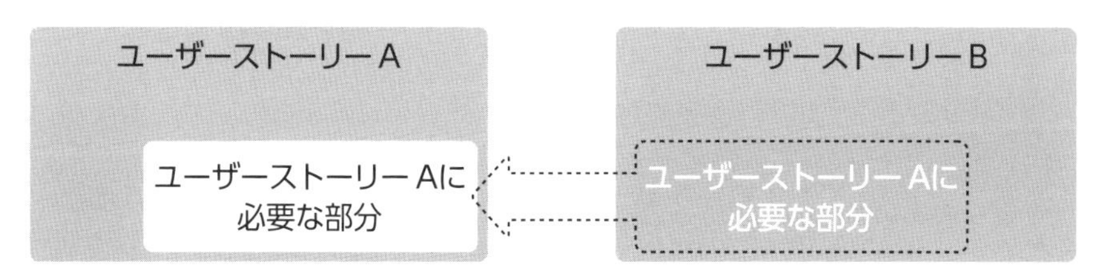

図3-11　アジャイルにおける「共通化」のコツ

アジャイル開発でも共通化は行います。そのタイミングは、「今作っているものの中に、共通化できそうな部分が見つかったとき」です。過去に終わったユーザーストーリーについても、イテレーション設計時のモブ設計、成果物フィードバック、ふりかえりで全員が内容を詳細に理解し、何度もソースコードを見ているので共通化できる部分があれば、気づきやすいのです。しかし、ウォーターフォール型開発のように「共通化できる部分」を洗い出し、先取りして共通化したりはしません。そのため、ウォーターフォールでよくある「設計段階で共通化したモジュールの大半が使われない」といったムダは避けられます。かつ、気づいたときに見直すことで、「同じロジックがあちこちに入ってしまいメンテナンスに困る」という問題を回避します。

共通化できる部分があれば、プログラムの動作は変えずに内部構造を見直す「リファクタリング」という作業を行います。ユーザーストーリーBを実現するイテレーション計画時に、誰かがユーザーストーリーAと共通化できることに気づき、リファクタリングが行われます。

過去に作ったユーザーストーリーAのプログラムのソースコードを開いて共通化できそうな部分を確認し、切り出してモジュール化できないかを検討します。ユーザーストーリーBを実現するためのToDoリストの中に「共通部品を作るタスク」「共通部品を呼び出すタスク」「ユーザーストーリーAの一部を共通部品に置き換えるタスク」が入ります。

とはいえ、「他にも共通化できるものがあるかもしれない」と考えて、全てのソースコードを洗い直すことはしません。動いているものはひとまずそのままにしておいても「動く成果物」の価値に影響はないからです。後々、ソースコードを改修する必要が出てきたときに、「以前行った共通化がこの機能にも適用できる」と気づいたら、そのときにやれば良いのです。

タスクを実行してみて、ユーザーストーリーAもユーザーストーリーBも間違いなく動作するとわかれば共通化は成功で、それまでの成果物とマージされて動く成果物の中に取り込まれます。

アジャイル型アプローチにおける共通化の特徴は、「必要が生じたときに必要なことだけ共通化する」という、トヨタのジャストインタイム的な考え方です。ウォーターフォールに慣れていると、「半年後に実行予定のユーザーストーリーを見越して共通部品を作るタスクを先にやろう」と考えてしまいがちですが、アジャイル型アプローチでは「半年後に実行予定のユーザーストーリー」を半年後に実行するとは限りません。もし実行されなかったらそれはムダになってしまいます。必要なときに必要なだけ共通化すれば、使われない共通化にコストや時間をかけなくてもよくなります。

アジャイル型アプローチにおける共通化について、わかりやすいのでソフトウェア開発を例に説明しましたが、他のものでも同様の考え方で共通化を進められます。実はこの本の原稿も、書き進めていくうちに前にも同じようなことを書いていたことに気づいたら独立した項目として取りまとめ、前の原稿も修正する作業を著者と編集者の協働作業で行いながら作成しています。それでも重複した内容は多少なりとも残ってはいます。ですが、それは繰り返し述べることで強調したい部分でもあるので、あえて共通化せず、そのままにしてある部分も多々含まれます。

ヒント064 不具合（バグ）が出たらその内容にかかわらず「聖域」として修正を最優先するのは本当に価値につながるのか

従来型開発では、不具合の発生に気づいたら、最優先で対応するのが良いとされています。その分、他の作業は後回しになります。

対して、アジャイル型アプローチでは、不具合対応についても「その対応はプロダクトの価値を実現するために必要か」という観点で優先順位を決めて対応します。

言い換えると、「今発覚したその不具合は、ユーザーにとって、今取り組んでいるタスクを後回しにしてでも対応する価値があるのか？」を判断して、対応のタイミングを決めます。決定権はプロダクトオーナーにあるので、開発チームは不具合を修正するタイミングもプロダクトオーナーと相談します。「不具合があればお客さまを待たせてでも最優先で修正する」といった思考停止はやめましょう。

ヒント065 アジャイルの品質の守り方とウォーターフォールの品質の守り方

成果物の製造品質を担保するために重要なのがテストです。テストによって仕様通りに動かない部分（不具合）が判明したら、それを修正して、製造品質を担保します。ウォーターフォール型アプローチとアジャイル型アプローチでは、不具合に対する考え方と対処の仕方が違っています。

ウォーターフォール型アプローチでは、要件定義の記述を全て実現することを前提に、設計を行い、計画を立てます。実際の開発は機能や、ソフトウェアであればプログラム単位の部品に分割され、分担して詳細設計、開発、単体テストを行います。その後、部品が全部揃ったところで、全てをつないで結合テストが行われます。できたものには不具合が内包されていることを前提として、漏れなく抽出するためのテストケースを作成してテストを行い、必要であれば設計まで立ち戻って見直し、修正します。

対して、アジャイル型アプローチでは、「不具合がない状態をキープする」ことを前提とします。そのため、小さく作って不具合がない状態であることを確認し、イテレーションごとに成果をマージしてテストし、不具合がない状態を確認して動く成果物とします。これを継続し、少しずつ実現できるユーザーストーリーを増やしていきます。

「早く機能を作るのがアジャイル」というイメージのみを先行させ、イテレーションの最後にそれまでの成果物と結合したテストを行わないという誤解がよくあります。もしウォーターフォールと同様に、どこかのタイミングで「テストフェーズ」を設けて複数のイテレーションの成果を一気に結合してテストしたなら、当然、結合したことで不具合が顕在化します。設計書も残っていないので、原因の追究は困難を極めることになります。

そうではなく、アジャイル型アプローチでは、常に「成果はそれまでの動く成果物と結合してテストされている」ことが重要です。そのときに、過去にテストした項目についても、原則としてテストは省略しません。今回の成果を結合すると、過去に動作していたものが動かなくなることは十分に考えられるからです。そして、完了したユーザーストーリーが増えるほど、テストの量も、頻度も増えていきます。なので、製造品質を担保するアジャイル型アプローチでは人が手を動かさずコードを動かすだけでテストを実行する、「自動テスト」が欠かせなくなってくるのです。

ヒント 066 テスト駆動開発という理想と自分たちのチームの実力のギャップをどう埋めるのか

アジャイルソフトウェア開発ではテストコードによる自動テストが欠かせません。良いテストコードは、テスト対象となるプログラムの呼び出し方、使い方がわかる説明書になっています。アジャイル開発には、この考え方を推し進めて、テストコードを先に書いて、テストを通過できるように成果物を作ることで品質を上げる「テスト駆動開発（TDD）」という手法を取り入れているものもあります。

TDDで開発を行うには、テストコードを書けるレベルで設計を頭の中で理解している必要があり、難易度が高いです。特に、従来型開発で行われているように、仕様書に合わせてテストケースを作り、コードを実行する形のテストを行ってきた人には、取り組みが難しいと思われます。

私たちが提唱しているのは、「新しく追加するコードに対してはテストケースをもとにしたテストをしっかりやる」「良い結果が得られたら、追加するコードをテストするためのテストコードを書いて、今までのテストコードに追加する」方法です。テストコードを先に作ることにこだわるのではなく、成果物に少しずつつけ加えていくように、テストコードも少しずつつけ加え、最新の「動く成果物」を自動テストできるテストコードを作り上げていきます。

TDDはアジャイルの代名詞のように言われる手法の１つでもあります。またその考え方もとても重要でアジャイルに取り込むべき点が多々あります。それゆえに、TDDでなければアジャイル開発ではないと思い込み、「TDDができないからアジャイル開発は自分たちには無理」だと考える人もいます。しかし、それが理由でアジャイルを諦めるのはちょっともったいないと思うのです。TDDの考え方を取り入れつつ、工夫を重ねて自分たちにとってより良い方法を考え続けることが大切だと思います。

3-4

計画の根拠を作る見積

ここまでの説明で、見積については「開発チームが行う」のみで詳細の説明はしていませんでした。アジャイル型アプローチにおいて、見積はイテレーション計画や全体計画の基礎になるものですが、従来型開発で行う「見積」とはかなり意味合いが異なります。

ヒント 067 アジャイル型アプローチにおける見積の役割

見積とは「これから行うことはどれくらいでできるか」の見当をつけることです。従来型開発では、「この要件を満たすものをこれだけの費用と期間で作ります」と発注者と受注者が約束するために行われます。見積を前提として立てられた計画に沿って人の配置とスケジュールが作成され、開発が進められます。「どれぐらい」は金額や工数で表されるので、その数値が重要であり、約束なので途中で変えるのは困難なことが多いです。

これに対して、アジャイル型アプローチの見積は、開発チームがイテレーション計画通りに作業を終わらせられることを自身で確認するために行います。過去の実績に基づき、各タスクを「どれくらい」で実施できるかを開発チーム全員で検討します。見積の単位には、工数や金額ではなく「ポイント」を用います。

ポイントで見積もる理由は、「誰が見積もったか」を抜きにして数字だけが一人歩きするのを防ぐためです。基準は過去のチームの実績であり、金額や工数のように絶対的ではありません。したがって、見積はあくまでも見積をした開発チームにとっての見積です。複数のアジャイルチームでプロジェクトを進めているときには、同じようなタスクに対してチームによって見積のポイントが異なってくることがあります。このときに、少ないポイントで見積もるチームの方が優れているといった比較には意味がありません。他のチームの見積とは基準が違うのでそもそも比較ができないのです。

絶対的な基準に基づかないものなので、ポイントで示される数字の値自体にはあまり意味がありません。重要なのは、「ポイントを算出する」行為を通じて、開発チーム全員がこれから行うことのイメージを共有し、各自が見積を「自分ごと」として理解して、イテレーション内にチームで達成すべきユーザーストーリーにコミットすることです。各人が持つ作業のイメージに相違（ずれ）があると、実際の作業と見積にもずれが生じます。そのずれはほとんどの場合、イテレーション計画の未達成やプロダクト価値の低下を引き起こします。

ヒント 068 見積は誰が行うかが一番重要

アジャイル開発では、見積を行うのは開発チームの役割です。ユーザーストーリーをもとに「何をどのようにして作るか」を考え、それを作るためのタスクと、それにどのくらいかかるのかを見積もります。開発チーム自身が見積を行うのは、他人に与えられた見積では、開発チームにとってその見積が「自分ごと」にならないからです。

実際のところ、従来型開発ではプロジェクトマネージャーや設計フェーズの担当者など、開発チーム以外の人が見積をすることが多いですが、実際には想定していなかった困難や難しさがあったり、逆に難しいと思えたことがそれほど大変でもなかったりもします。たとえばプロジェクトマネージャーによってAという機能とBという機能のそれぞれが５人日と見積もられていたとしても、現場では「何を想定してその数値になったか」は完全には理解できません。結局、作業のために現場で再度見積をし直すことになります。その結果、Aは難しくて全部実装するには８人日かかり、逆にBは簡単で２人日で実装できるという見積になったとしても、従来型開発では与えられた見積の変更は認められにくいものです。その結果、開発チームは「与えられた見積の範囲内で作業をする」ようになります。具体的には、Aは５人日では完全にできないので、不十分であっても工数で収まる範囲で実施する。Bは２人日でできるので３人日は余裕として遊んでしまうことになります。しかし、開発チームが最初から見積をすれば、Aは8人日、Bは2人日とより正確に見積もることができます。その結果、同じ10人日で難しいAも全部実装できて、Bも実装できるので、アウトプットの価値が上がります。

このように、モノづくりのプロである開発チームの方がより正確で実効性のある見積ができますし、なおかつその方が価値の最大化にもつながりやすいのです。にもかかわらず、従来型開発において、見積がプロジェクトマネージャーや設計担当者などの役割となるのは、見積はプロジェクトの初期に行うものであり、その時点では実際に開発する人はまだアサインされていないことがほとんどだからです。

対して、アジャイル開発では、見積はイテレーションごとに行うので、見積を行う段階では、開発チームはすでにアサインされています。構造的に開発チームによる見積ができなかった、従来型開発の制約が解消されています。なおかつ、アジャイル開発では、イテレーションごとという短い間隔で、直近の状況も織り込んで見積もるので、より正確な見積が可能になります。

ヒント 069 なぜ見積は開発チーム全員で行う必要があるのか

見積は開発チームの役割だといっても、開発チームの誰か1人に任せてしまったり、一部の人のみで行うと、その人たちの知識の範囲内でしか見積ができません。また、全てのタスクを見積もった人がやるわけではないので、見積をする人と実際に実行する人が違う状態が発生し、結果、見積と実績のずれが生じます。だからといって、タスクごとに担当者を決めてそれぞれが見積をするのでは、その担当者以外の人が実施したときに見積通りにできると担保できません。すなわち、タスクの遂行状況が人に依存してしまい、「全てのタスクはチームのタスク」として全員で最短で成果を出すアジャイル型アプローチの原則とずれが生じてしまいます。

これを解消するために、アジャイル開発の見積は開発チーム全員で行うのです。全員で見積を行えば、さまざまな技術的背景を持った人たちが同時に見積を行うことになります。出てくる値は大勢の現場のメンバーが同時にレビューを行った結果ですので、１人や一部の人のみが時間をかけて悩むよりも確からしい値です。また、全員で行えば、それぞれのチームメンバーにとって見積が「自分ごと」になります。

そのときに重要なのは、チームメンバーの誰がそのタスクを実施しても作業時に迷わないレベルにまで全員が認識を合わせることです。同じ作業をするのに熟練者であれば10分で終わるのが新人だと半日かかる理由は、新人は作業そのものよりも、前提となる知識不足を補ったり、やり方を考えたりといった「作業の前段階」に時間を取られてしまうからです。その部分の認識を全員が合わせて後は手を動かすだけの状態になっていれば、誰がそのタスクを取っても見積がずれることはなくなります。

参考になりそうなのが、製薬会社のMR（医薬情報担当者）が使用するパンフレットの週次更新をアジャイル型アプローチで行った例です。新しい治験の結果や論文が発表されると、その情報をアップデートする必要があります。たとえば「Aという薬の治験率のデータが更新されたら次回のパンフレット更新時に反映する」タスクがあったとすると、ベテランの担当者は迷いなく作業できますが、経験の浅い担当者は以下のような点でつまずきがちです。

・どの雑誌を探せばいいのかわからない
・どんなキーワードで論文を検索すればいいのかわからない
・検索にヒットした論文のどの部分の数字を拾えば良いのかわからない
・拾った数字とパンフレットのどの数字を差し替えればいいのかわからない

アジャイル型アプローチでは、タスクの作成時に「Xという雑誌の最新号をAというキーワードで検索する」「検索でヒットした論文Yをダウンロードする」「論文Yの何ページにある治験結果の表と、パンフレットの何ページにあるAという薬の治験結果の表を差し替える」ところまで、全員で確認してタスクとします。こうしておけば、ベテランがやっても新人がやっても作業量はほぼ同じになると期待できます。

開発チーム全員で見積をすると、別の効果も生まれます。

1．開発チーム全体のスキルの底上げにつながる

見積を行うときにタスクの詳細イメージを共有すれば、熟練者の持って

いる知識やスキルが他のメンバーにも伝わります。教育のための時間をわざわざ取らなくても、イテレーションごとに行う見積業務の中でチームメンバー全体のスキルの底上げが期待できます。

2．計画を守るモチベーションになる

ともすれば、「アジャイル開発では最大限努力してイテレーション計画が達成できなかったら次に活かせばいい」と思われがちですが、それが続けばリリースのタイミングが遅れてプロダクトの価値を提供できなくなります。計画の根拠となる見積を自分たちで行えば、計画の遅れを他人のせいにできなくなりますし、「言ったことはちゃんと守る」モチベーションになります。

ヒント070 見積の基準は「過去の自分たち」

アジャイル開発では、タスクのイメージを詳細に共有できていれば、個々のタスクの見積には厳密さは求められません。タスクごとに見積のポイント通りに作業を実施できているかを全て個別に予実管理する必要はなく、予定より早く終わるタスクや遅く終わるタスクがあっても１日トータルで進められたタスクが計画通りであればそれでいい、といったレベル感です。個々のタスクの作業量を精度高く見積もるために時間をかけるよりも、その分、作業を進めて価値を多く生み出したいと考えます。

なので、見積は厳密にタスクごとの作業量を想定するのではなく、「過去にやったタスクと比べてこのタスクは大きいか、小さいか」という相対見積で行います。見積の基準になるのは「過去の自分たちの実績」です。過去にチームが実施したAというタスクと現在見積をしているXというタスクを比べて、Xを実施するために必要なポイントはAを実施したときのポイントと比べてどのくらい大きいか／小さいかを考えます。このときの「どのくらい」も厳密に何ポイント違うのかではなく、「２倍ぐらいか、それよりは少し大きいかな」といった感じの精度で見積もります。よくある東京ドーム何個分というたとえと同じ感じです。

相対見積の練習として私たちがよくやるグループワークが、「500mlのペットボトル飲料１本の値段」を基準として、「いつものランチ」「ちょっと贅沢なランチ」「５歳の子供にあげるお年玉」「出張のときのお土産代」などがどのくらいの値段になるかを見積もるというものです。そのときに、基準となるペットボトルの値段を「２」として、それぞれが連続した数字ではなくフィボナッチ数列（1、2、3、5、8、13、21……というように、前の２つの数字の和になっている数列）のどれに当たるかを選んでもらいます。あえて数字に制約を設けて「正確に２倍」を選べないようにし、「２倍よりちょっと多いか、少ないか」といった相対的な見積をしやすくします。グループの中で差が出てきたら、なぜその数字を選んだのかをお互い表明して、合意するまで話し合います。

ヒント 071 アジャイルでプランニングポーカーが重用される本当の意味

アジャイル型アプローチで見積によく使われる手法に「プランニングポーカー」があります。開発チーム全員で対話しながら、タスクの規模を相対見積する手法です。各人が手元に数字を書いたカードを持ち、以下の手順で行います。

①過去にチームが実践して、全員が共通してイメージできるタスクを「見積の基準」として３ポイントもしくは５ポイントとします。
②見積もるタスクのイメージを開発チームで共有できたら、各自が心の中で見積をします。その際に、①で基準としたタスクと比較してどのくらいの重さのタスクなのかを考え、ポイントを決めます。
③②で決めたポイント数が書かれたカードを全員が一斉に場に出します。
④カードの数字にばらつきがあれば、その理由を話し合います。

図3-12 プランニングポーカー

⑤話し合いの結果を踏まえて再度全員が見積を行います。
⑥②から⑤をカードの数字が一致するまで繰り返します。
カードの数字は、先に説明したフィボナッチ数列を使う場合が多いです。
たとえば、過去にチームで実施したAというタスクを見積の基準として5ポイントとした場合、Xの大きさの見積に応じて選ばれるカードは以下のようになるでしょう。
・1ポイント：Aの3分の1以下
・2ポイント：Aのだいたい半分か、ちょっと小さめ
・3ポイント：Aのだいたい半分か、ちょっと大きい
・5ポイント：Aとだいたい同じぐらい
・8ポイント：Aの2倍よりは小さい
・13ポイント：Aの2～3倍程度
・21ポイント：Aの3～5倍程度
ちなみにフィボナッチ数列で21の次は34です。21との差が大きいため、カードに対応する実際の作業量の幅が大きくなり、そのまま取り入れたのでは見積のブレが大きくなりすぎます。なので、21ポイントを超えるタスクになりそうなときは、タスクそのものを分割して小さくすることを考えます。これにより、タスクの大きさを適正にコントロールできます。
タスクを分割するときも、フィボナッチ数列はそれぞれの数字が前の2つの数字の和になっているので、たとえば8ポイントのタスクであれば5ポイントと3ポイントのタスクに分割するといった使い方ができます。
「開発チーム全員で見積もりする」といっても、話し合いだけで決めようとすると、声の大きい人の意見が通りやすかったり、経験の浅い人は遠慮して発言できなくなったりしがちです。プランニングポーカーではカードを全員が一斉に出すので、立場や経験の量によらず、全員が自分の意見を表明できます。出したカードに対して各人が「なぜそう考えたのか」を説明すれば、意見が一致している点と異なっている点が明らかになるので、全員がタスクをより詳細に理解しつつ、合意点を探しやすくなります。
「アジャイルで見積といえばプランニングポーカー」だからやるのではなく、その意味や狙いについても理解すれば、より良い見積ができるようになるのではないでしょうか。

CHAPTER 4

アジャイルの進め方

4-1

コミュニケーションとタイムマネジメントでチームを動かす

アジャイルのイベントは、アジャイルチームが「動く成果物」という価値を創出し続けるためにあります。個々のイベントの話をする前に、より良い価値を創出できるアジャイルチームになるための、コミュニケーションやタイムマネジメントの考え方を紹介します。

ヒント 072 生産性の高いチームほどコミュニケーションコストを惜しまないようになるのはなぜか

従来型アプローチでは、生産性を上げるために、「ムダな会議はなくしましょう」と言われがちです。手を動かす時間を最大にするために、会議は最小限に、出席者も限定してなるべく短い時間で行うのが良いとされます。

対して、アジャイル型アプローチでは「手を動かす時間を最小にするために対話を増やす」という真逆の考え方をします。実際その方が、生産性が高くなるのです。

その理由は、手を動かすことを「個人の作業」と考えるか「チームの作業」と考えるかの違いにあります。従来型アプローチでは、誰が何をやるのかを会議で確認した後、実際の作業は担当者が個人で行います。バラバラにやっているので、各人の作業の進捗や結果をレビューするための会議が必要になります。結局、会議をやる、作業をする、確認のためにまた会議をする、の繰り返しで、進捗を前に進めているのが現実です。いくら会議はなるべく減らすといっても、実際には必ず週次で会議が行われています。

そもそも従来型アプローチで会議を「ムダ」と言う理由は、会議の時間のうち参加者１人１人から見れば自分に関係ある時間はそのうちのごく一部にすぎない場合がほとんどだからです。２時間の会議のうち自分に関係あるのが５分だけで残りはただ聞いているだけでは、残りの時間は確かにムダな時間です。

対して、アジャイルの会議は、「手を動かす前に考えなくてはいけないこと」を、参加者全員が知恵を出し合って考えきるのが目的です。たとえばソフトウェア開発の場合、処理を実行するためにどの関数を使うか、パラメーターの設定をどうするかまで会議で決めてしまえば、実際にタスクを実行するときには悩むことなく手を動かすだけで良いので生産性が上がります。誰もがこのタスクを実施できるようになっていれば、自分がこのタスクを実施する可能性が出てきます。となると、２時間の会議の中身のほとんどが「自分ごと」に関わる議論になります。だから、かけた時間が「ムダ」にはならないのです。

その背景には、「作業とレビューを細切れに繰り返すのではなく、全員で打ち合わせをしながら手を動かしその場で結果を出そう」という発想があります。複数の人が集まって同時に１つの作業をやることをモブワークと言いますが、アジャイルのイベントでは随所でこれを積極的に行います。

モブワークはチーム全員の時間を使いますが、さまざまな立場でレビューしながら作り上げるので、重要だったり複雑だったりするタスクであっても、完成したときに全員がその内容を理解し共有できている状態になるメリットがあります。逆に、以前チームで取り組んだことがあり、誰でも迷わず作業できるものであれば、全員の時間を使うモブワークを行う必要はないでしょう。モブワークの実施にかかわらず、ひとまず「手を動かすために調べたり考えたり悩んだりしないで済むレベルまで開発チーム全員が詳細にタスクを理解する」のを目指すことが最初のステップになるのはヒント58で書いた通りです。そのためには、必然的に会議の時間、すなわちコミュニケーションにかける時間は長くなります。

そんな話をするとまるで絵に描いた餅のように思えるかもしれませんが、私たちが過去に支援した事例では、最初のうちは１週間（40時間）のうちアジャイルチーム全員が参加する会議は１～２時間程度だったのが徐々に増えていき、最終的には８時間から12時間、場合によってはそれ以上をあてるようになりました。そして、その方がユーザーストーリーの消化速度が格段に上がったのです。他にも同様の事例は数多くあり、「コミュニケーションコストを惜しまない方が生産性は上がる」実感があります。

とはいえ、会議の進め方は工夫する必要があります。よくやりがちな進行が、会議で話し合うべき議題をまず洗い出し、話題ごとに目安の時間を決めて進めるやり方です。この方法では「持ち時間で足りなかったら残りは宿題にして担当者が考える」ことになりがちです。すると結局、次の会議で「バラバラに考えた宿題を持ち寄って確認する」二度手間が発生してしまい、全員参加の会議の意味がなくなってしまいます。

特に最初のうちは、1時間なら1時間という制限時間内に会議を終わらせることよりも、時間を延長してでも会話をする習慣を身につけることを優先しましょう。議題ごとに時間制限を設けるなど、時間にこだわる練習をする必要はありますが、会議時間を守ることを優先しすぎて、肝心の中身の話し合いが十分にできないのでは本末転倒です。最初は思ったよりも会議が延びるのは仕方ないですが、チームが成熟してくるにつれて意思疎通がスムーズになり、予定通りの時間で密度の濃い話し合いができるようになります。具体的なやり方はヒント80をご参照ください。

ヒント 073 自分たちのチームに最適なイテレーション期間とは（短い場合と長い場合のメリット・デメリットから考える）

アジャイル開発のリズムの基礎となるイテレーションの長さですが、スクラムガイド2020年版にはスプリント（イテレーション）の長さは1カ月以内としか記載されていません。実際には、プロダクトやチームメンバーの構成、組織の文化などによって最適な期間は異なるので、唯一絶対の正解はありません。ここでは、イテレーションの期間を決めるときの考え方について、メリットとデメリットから考えてみます。

イテレーションの期間にかかわらず、イテレーション内で実行するイベントは変わらないので、イテレーションの期間が短いほど相対的にイベントの頻度は高くなり、かける時間の割合は大きくなります。その結果、以下のようなメリットとデメリットが生じます。

〈1週間程度の短めに設定した場合〉

◆メリット

・イテレーション計画とふりかえりを1週間ごとに行うので、自分たちを

取り巻く外部や内部の変化への対応を取り込みやすくなる
・自分たちのやり方に対する改善点を見つけたり、それを具体的に改善する行動策を取り入れたりする頻度が多くあるので、チームの成長のスピードが速くなる
◆デメリット
・タスクを実行する期間が圧縮される
〈1カ月程度の長めに設定した場合〉
◆メリット
・タスクを実行する期間を長く取れる
◆デメリット
・変化を取り入れるタイミングを捕まえにくくなる
・チームのやり方を見直すチャンスが減るので、チームの成長のスピードが遅くなる

アジャイルに慣れていなかったり、開発難易度が高い場合には「安全を見て長めのイテレーション期間を設定する」とよく言われますが、それは逆です。そういったとき、私たちは、1週間などの短めの期間の方が良いとアドバイスすることが多いです。状況の変化が激しい場合や、成熟度が低く改善すべき点がまだまだ多いチームには、イテレーション期間は短い方が向いています。一方、ある程度成熟していて随時コミュニケーションが取りやすいチームや、状況の変化が激しくない場合は、長めのイテレーション期間の方が向いています。長いイテレーションと短いイテレーションそれぞれのメリットとデメリットを理解したうえで、自分たちのチームのイテレーション期間を自分たちで決めるのが大事です。

PMI日本支部の調査によれば、アジャイル開発を取り入れている企業で最も多いイテレーション期間は「2週間」でした。約1カ月でイテレーション2回となるため、月単位のリズムに乗せやすいのが理由かもしれません。次いで多いのが「1週間」で、最近は増えつつあります。「4週間」も、1カ月単位のリズムを意識していると思われます。「3週間」が少ないのは、月またぎのイベントが発生しやすいため、馴染まないのかもしれません。

ここまでの話はソフトウェア開発をイメージしていますが、組み込みソ

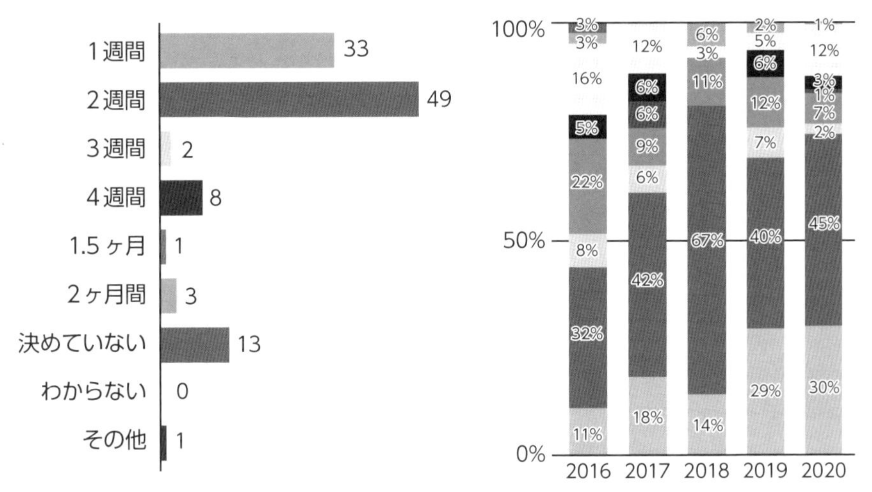

出典：「2020年度 アジャイルプロジェクトマネジメント意識調査報告」 ©PMI日本支部　アジャイル研究会

図4-1　イテレーション期間

フトウェア開発やハードウェア開発などは、物理的な試作品の製造サイクルに合わせて３週間といった設定をする場合もあります。ヒント５で紹介した戦闘機の例では、イテレーション期間は３週間でした。

イテレーションの期間が長くなる場合に考慮すべきなのは、イテレーション期間の途中で状況の変化が発生する確率が高くなることです。たとえば、強力なライバル会社が突然新しい製品を発表した、大災害が発生した、などの大きなインパクトが４週間のイテレーションの１週目の終わりに発生した場合、イテレーション計画の見直しをする必要があるかもしれません。「このまま残りをやってもいいのか」を検討するためにまずは立ち止まりましょう。残りの３週間の計画を立て直してもいいですし、サイクルをずらして新たに４週間の計画を立てるやり方もあります。

イテレーション期間の長短にかかわらず、小さな変化に対応しなくてはいけないこともあります。たとえば、DevOpsチームでアジャイル開発をしていると、現在進行形で利用されているので、利用者からはさまざまな要望が上がります。その中には、即座に対応しないと業務が止まってしまう不具合対応もあれば、ちょっと使い勝手を改善してほしいな、といったお願いもあります。前者であれば途中で計画を止めて即座に対応し、落ち着いたらイテレーション期間の残りの計画を立て直すことになりますが、後者であればひとまず寝かせて次以降のイテレーション計画に組み込みます。

アジャイルといえば変化に即対応するというイメージがありますが、臨機応変で来たもの全てに対応していては、結局イテレーション計画が守れません。実際には、このイテレーションの中でやらなくてはいけないかどうか、優先順位を加味しながら判断し、もし優先順位が今実装しているユーザーストーリーよりも低いのであれば次のイテレーションに持ち越して、計画をできるだけ守るようにします。

ヒント 074 「アジャイルだから間に合わなくても良い」ではない。間に合わなかったことを反省し改善できないのであれば、単なる先延ばし

イテレーション計画を守るよう全力で取り組んでもどうしても守れなかったとき、アジャイル開発では、終わらなかったこと自体を受け入れ、残りのタスクは次のイテレーション計画に組み込みます。この、「終わらなかった場合、次のイテレーションに組み込むことができる」ことを免罪符にして、アジャイルだから計画に間に合わなくても良いと勘違いしてずるずると先延ばしするチームがときどき見受けられます。

計画に間に合わない事態が常態化すれば、当然、想定していたユーザーストーリーは予定通りに終わりません。すると、プロダクトを適切なタイミングでリリースできなくなり、ビジネス機会の損失や価値の減少が発生してしまいます。

アジャイル開発で終わらなかった場合、次のイテレーションに組み込むのは、惰性で「アジャイルだから終わらなくていいよね」と流されるのとは違います。ふりかえりで「なぜ終わらなかったのか」の原因を明らかにして次のイテレーションで必ず改善するからこそ、終わらなかったこと自体を強く責めないだけです。改善の繰り返しによって、結果的に見積の精度とベロシティを上げ、無理をしなくてもイテレーション計画をきちんと守れるようになります。これにより適切なタイミングでプロダクトをリリースして、価値を生み出せるチームになっていくのです。

ヒント 075 イテレーション計画とカレンダーとの適切な関係

「10分で読むアジャイルの概要」で、イテレーションにはリズムを作る役割があるという説明をしました。では、イテレーション期間を「1週間」としたとき、何曜日からイテレーションを開始するのが、リズムを作りやすいでしょうか。

パッと思いつくのは、月曜の朝イテレーション計画を行い、金曜の午後に成果物フィードバックとふりかえりを行うスケジュールだと思います。しかし、実際にカレンダーを眺めると、特に日本では月曜日は祝日・休日（日曜日の振替休日）になることが多いことに気づきます（たとえば2024年は、年末年始を除いて祝日・休日は20日ありますが、そのうち10日は月曜日です）。そのたびにイテレーション計画を火曜日にずらす必要があるのがとても面倒です。

1週間目

時間	日	月	火	水	木	金	土
午前		デイリーミーティング	デイリーミーティング	成果物フィードバック	デイリーミーティング	デイリーミーティング	
			前のイテレーション	ふりかえり	次のイテレーション		
午後				イテレーション計画			

2週間目

時間	日	月	火	水	木	金	土
午前		デイリーミーティング	デイリーミーティング	デイリーミーティング	デイリーミーティング	デイリーミーティング	
午後				リファインメント			

図4-2 アジャイルイベントの組み方の一例（2週間イテレーションの場合）

イテレーションでリズムをうまく刻むには、イベントをなるべく同じ曜日に固定しておくのが大事です。私たちがコーチングをするときには、イテレーションの開始日は、祝日の比率が低い火曜日から木曜日のいずれかをお勧めすることが多いです（金曜日スタートにすると、すぐに休みに入ってせっかく立てた計画を忘れてしまうので、これもお勧めしません）。

もう１つお勧めするのが、週のうちイベントはなるべく１日にまとめることです。イテレーション計画の実施に半日、成果物フィードバック＋ふりかえりの実施に半日かかるとして、これを別々の日にやると半日がイベント、半日が作業となります。これを、たとえば水曜日を「イベントの日」として、午前中に成果物フィードバック＋ふりかえりをしてお昼にイテレーションを終了し、午後に次のイテレーションをスタートしてイテレーション計画を実施すると、残りの営業日はデイリーミーティング後の時間を全てタスクの実施にあてられます。さらに２週間のイテレーションの場合には、翌週の水曜の午後にリファインメント会議を設定すれば、毎週水曜日の午後はチーム全員でユーザーストーリーリストについて議論する会議があるというリズムもできます。こうすれば、イベントを行う日、タスクを実施する日を明確に分け、さらにリズムを取りやすくなります。

週の途中で祝日があると、営業日が減ってこなせる作業量も減りますが、イテレーション期間は「曜日」で区切ります。イテレーション計画時には祝日を考慮して、減った営業日でできる作業を計画します。もし連休が入って２営業日以上減ってしまうような場合は、そのときだけイテレーション期間を２倍の２週間に延ばして２週間分の計画を立てるやり方もあります。

長期間続く開発プロジェクトを乗り切るためには、うまくリズムを刻むことが大事です。一流のアスリートには集中力を高めてパフォーマンスを上げるためのルーティーンを持っている人が多いですが、アジャイルのリズムもそれと似たようなものかもしれません。「何曜日の何時からはこの会議をやる」というルーティーンを崩さず一定のペースで行動することが、生産性を上げることにつながります。

4-2

イテレーションを始める前にやること

「何事も準備が肝心」と言いますが、それはアジャイルにもあてはまります。アジャイルチームを立ち上げたら、動く成果物を作り始める前にやっておくべきことがあります。

ヒント 076 「イテレーション0」をやらないアジャイルは出だしでつまずく

アジャイル開発のプロジェクトを開始するに当たり、多くのアジャイルコーチが経験的に感じているのは、スタートから高い生産性を達成するためには、最初のイテレーションを開始する前に準備をする期間が必要だということです。

これを私たちは「イテレーション0」と呼んでいます。0には、「1の前」という意味に加えて、期間の終わりにユーザーストーリーとしてのアウトプットがないので「成果ゼロ」という意味も込められています。

イテレーション0では、プロジェクトが始動する前の準備として、以下のようなことを行います。

・働き方のルール

「ワーキングアグリーメント」として、チームのルールやビジョンを決めます（ヒント27参照）。また、チームのスタート時点での各メンバーのスキル特性や、お互いがどの分野についてスキルアップしていきたいかを共有し、成長につなげるための準備として、スキルマップを作るのも良いでしょう。

・技術的なルール

プロダクトを開発する上で、チーム全員が守る技術的なルールを決めます。たとえばソフトウェア開発であれば、構成管理ツールの使い方、コーディング規則、変数名や関数名などの命名規則、デプロイ手順などを決めます。全員でソースコードを見るモブプログラミングや、他の人が書いたコードを読んで修正することもあるので、最初にルールを決めておくのはとても大切です。

開発ルール

- 自動テストをパスしたもののみリモートリポジトリにPush可能
- テストカバレッジは80%を目標とする
- プルリクエストは1時間以内にレビューする
- 15分考えてわからない場合は相談する
- 処理の重複が3カ所以上に現れたらリファクタリング必須
- テスト設計はちゃんとやろう

図4-3 技術的なルール（イメージ）

・技術方針の策定

フレームワークに何を使うか、開発環境を準備するのか、ソフトウェア開発であれば開発言語は何にするのか、など、大まかな方針を決めます。必要であれば、技術を理解するための勉強会を開いたり、外部の研修を受講するのも良いでしょう。

・アジャイル型アプローチを理解する

特に、アジャイル未経験者が多いチームの場合、アジャイルの考え方や、やってはいけないこと（アンチパターン）についてイテレーション0でしっかりと学ぶのが効果的です。アジャイルマニフェストを全員で読み、意味を理解するのはとても良いと思います。外部のアジャイルコーチを招いて講習会を行うのも有効です。

以上を実施するイテレーション0にかける期間は、これも経験的にですが、想定しているイテレーション期間の1.5倍から2倍ぐらいが適切に思えます。たとえばイテレーション期間を1週間にしているプロジェクトならイテレーション0は2週間、2週間にしているプロジェクトなら3～4週間を目安にすると良いでしょう。

本格的にアジャイル開発を開始する前に、なるべく時間をかけてじっくり準備を進める方が良さそうに思えますが、あまり時間を長くかけすぎると、アジャイルの準備期間といいながら「アジャイルを進めるための計画を立てる期間」になってしまいがちです。それはヒント10で紹介した「アジャイルの導入をウォーターフォール的に行う悲劇」につながることが多いのです。

新しいチームが動き始めた当初は、当然ですが、コミュニケーションに齟齬が生じたり、細かい擦り合わせが必要になったりと、想定通りのパフォーマンスが出せなくなりがちです。モノづくりを始める前に「イテレーション０」を行い、そうした要因をできるだけなくしておけば、最初のイテレーションから比較的高い生産性を上げられます。逆に、そうした時間を持てないままでモノづくりが始まってしまうと、安定して成果を出せるようになるまでに試行錯誤のイテレーションを何回か繰り返す必要があります。すると、安定しない間のパフォーマンスだけを見た経営層が「アジャイルは使えない」と判断してやめさせてしまい、アジャイルの導入に失敗するケースがよくあります。成功確率を上げるためにも、明示的にイテレーション０を設けましょう。

とはいえ、現実に多いのが、「４月からアジャイル開発のプロジェクトが始まるけれども、チームメンバーには３月末まで別の仕事がアサインされていて、イテレーション０を実施する期間が取れない」といった状況です。本来ならチームメンバーが揃う４月から期間を決めてイテレーション０を行うのが理想ですが、その余裕もないときには、苦肉の策として２～３カ月の間、週１～２時間をルール作りやアジャイルを理解するための期間として確保したこともあります。プロジェクトやチームの制約条件によってやり方を工夫する必要はありますが、「イテレーション０を行う」ことは意識しましょう。

ヒント077 インセプションデッキは成果物ではなく メンバーの意識共有のためのツール

「インセプションデッキ」とは、短期間で作成する「プロジェクト計画書」のようなものです。

日本で広まったのは、2011年に邦訳が出版され、日本語で読めるアジャイル本として大ヒットした『アジャイルサムライ——達人開発者への道』（ジョナサン・ラスムッソン著）で紹介されたのがきっかけです。

インセプションデッキには、ウォーターフォールでいえば、「プロジェクト計画書」に当たる内容が書かれています（くわしくはヒント78）。ですが、「プロジェクト計画書」はプロジェクトマネージャーなどが作って全員に周知共有するものであるのに対し、インセプションデッキは誰か1人が作るのでなく、チーム全員のディスカッションで合意を得ながら作ります。

作ることそのものが目的ではなく、作成する過程で全員の意見を引き出し、チーム全体の共通認識を持つことが重要です。インセプションデッキの作成はチームビルディングの一環であると考え、プロダクトオーナー、開発チーム、スクラムマスター、ステークホルダーなど、可能な限り多くのメンバーを巻き込みましょう。

ヒント 078 インセプションデッキとプロジェクト計画書は≒だけど≠。全部作れば良いというものではない

『アジャイルサムライ』で挙げているインセプションデッキの10のテンプレートを、次ページの図4-4に挙げました。表の左はインセプションデッキの検討項目で、右に、それにほぼ対応するウォーターフォールのプロジェクト計画書に入っている項目を並べました。インセプションデッキはチーム全体の共有認識を持つためのものなので、「なぜやるのか？」という理由、もしくは「何がどれだけ必要なのか」といった課題から発想した表現になっています。対して、プロジェクト計画書は、プロジェクトの全容を全員に周知することを目的にしていますので、プロジェクトの要素を抜け漏れなく記述するものになっています。

プロジェクト計画書は、この表にある項目全てが記述されている必要がありますが、インセプションデッキは、チームの目線を合わせるのが重要なので、必要な項目だけを検討すれば良いのです。言い換えると、インセプションデッキの検討項目は「全員で議論し、考えるための材料」であって、上から順に絶対に全部をやる必要はないのです。チームの事情に合わせて、必要なものを必要な分だけ実施すれば良いと思います。ただし、こ

	インセプションデッキの検討項目	プロジェクト計画書のタイトル
★1	我われはなぜここにいるのか	プロジェクトの目的とねらい
★2	エレベーターピッチを作る	プロジェクトの概要
3	パッケージデザインを作る	プロジェクト概念図
4	やらないことリストを作る	プロジェクトスコープ
5	「ご近所さん」を探せ	体制と役割
6	解決案を描く	開発方針
7	夜も眠れなくなるような問題は何だろう	リスク管理
8	期間を見極める	マスタースケジュール
9	何を諦めるのかをはっきりさせる(トレードオフスライダー)	制約条件
10	何がどれだけ必要なのか	リソース管理

図4-4 インセプションデッキ

の中でも、以下の2つのどちらかはチームの方向性を明確にするために作ることをお勧めします(もちろん両方やるのも良いでしょう)。

・我われはなぜここにいるのか

プロジェクトを実施する理由を、短い言葉で表現します。そのプロジェクトが大事だと思う理由を皆で書き出し、それらの根幹を表す理由を1つ書きます。これによって、全員が、「なぜこのプロジェクトをやるのか」について共通の認識を持てるようになります。

・エレベーターピッチを作る

エレベーターピッチとは、エレベーターに乗っている時間ぐらい短い、数十秒程度で自分の考えを相手に伝える超ショートプレゼンテーションです。用意された構文に合わせて皆で文章を作ることで、全員が、30秒で他の人にプロジェクトを説明できるようになります。

以上の2項目(あるいはそれ以外も)を作ったら、次のヒント79で述べる通り、インセプションデッキは作りっぱなしにせず、定期的に議論し、見直すのが大切です。たくさん作りすぎると見直しも大変になりますから、その意味でもあまり作りすぎない方が良いかもしれません。10のお題があるから10個全部作らなくては、というMECEの考え方からは脱却しましょう。大事なのは、インセプションデッキを使って、チーム全員の意識を合わせることです。

ヒント 079 インセプションデッキは作りっぱなしで放置してはいけない

インセプションデッキを最初に作るタイミングは、イテレーション０が適しています。プロジェクトのスタート時のチームビルディングも兼ねて、全員が意識を合わせられるからです。そしてもう１つ重要なのは、作成したインセプションデッキを放置しないことです。「放置しない」には、「作ったものはちゃんと見る」と「作ったものはちゃんと見直す」の２つの意味があります。

作成したインセプションデッキは、共有フォルダの奥にしまい込まず、PCの壁紙や場合によってはリアルな壁に貼り出し、チームメンバーの目につくところに置きましょう。全員が意識せず自然に毎日触れることで、考え方や仕事のやり方をインセプションデッキに沿ったものにできます（ヒント24参照）。

「作ったものを見直す」のは、アジャイル型アプローチであれば必ず発生する「目的や目標の変化」を全員で確認するためです。従来型開発であれば、最初に作ったプロジェクト計画書は絶対なので、時間の経過とともに計画とずれが生じたときは、本来であれば計画書に合わせた軌道修正が必要です。しかし現実にはそんなことはしたくないので、計画書の存在を忘れたふりをしたり、本当に忘れてしまったりします。

その点、アジャイル型アプローチでは、時間の経過とともに状況が変わり、目的や目標が少しずつ変化していくことへの適応が必要になります。それをインセプションデッキに反映せず作ったまま放置していると、変化がアジャイルチームの中では共有されていたとしても明文化されていない状態になります。すると突然、最初に作ったインセプションデッキを見たステークホルダーから「なぜ最初の計画と違うのか」と横槍が入り、プロジェクトが掻き回されることもあります。

また、アジャイルチームの中でも、変化の度合いの認識や温度感が微妙にずれている可能性があります。それを放置していると、スイカ割りで目隠しして声かけされる人がどちらを向いているのかわからなくなるように、チーム全体として「今どちらを向いているのか」がわからなくなってしまいます。
「何だか今どっちを向いているのかわからないな」と思う人が出てきたら、インセプションデッキを作り直すタイミングです。全員で話し合って、今どちらを向いているのか、どこに向かうのかの意識を合わせましょう。四半期に一度程度、カレンダーに合わせて見直す機会を持つことも、全員の意識を合わせる意味では有効です。

4-3

アジャイルでも計画は大事。イテレーション計画と全体計画

イテレーションの最初に、そのイテレーションで実施するユーザーストーリーをどのように実現するかを決める「イテレーション計画」を立てます。イテレーション終了時の「動く成果物」のゴールをどこに定めるか、そのためにイテレーション期間中に何をするかについてアジャイルチーム全員の認識を合わせます。直近の状況を踏まえて作成され完遂を目指すイテレーション計画と、その時点でこのまま変化が起きなかった場合に想定されるプロダクトのゴールを描く「全体計画」を立て、変化に応じて常に見直し続けることで、プロダクトの価値を最大化していきます。

ヒント 080 イテレーション計画会議のプランニング

イテレーションの最初に毎回行うイテレーション計画会議は、そのイテレーションで実施する予定のユーザーストーリーについて、プロダクトオーナーが説明し、開発チームと共有するための大切な場です。説明を尽くし、疑問を全て解消するのは大切ですが、一方で時間は限られています。ありがちですが良くない会議の進行としては、最初の方の話題に時間をかけすぎてアジェンダを全て消化できなかったり、後の方で実施する話題について時間が不足し、話し合いが中途半端になったり持ち帰り事項が増えてしまう場合があります。

イテレーション計画会議の時間を効果的に使うためには、プランニングが大事です。あらかじめ会議の時間に収まるように、ユーザーストーリー単位で時間を割り当てます。均等ではなく、ユーザーストーリーの重さに合わせて、重いものは長い時間、軽いものは短い時間を割り当てます。

イテレーション計画会議のプランニングを行う理由は、時間をかけるべき議題に十分に時間をかけるためです。なので、ここでいう「重さ」は正

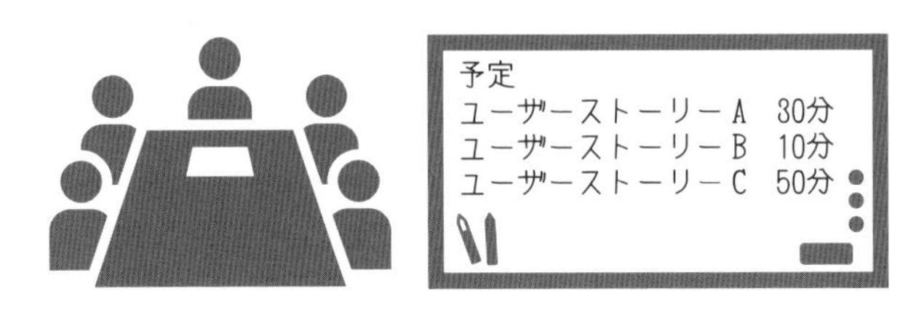

図4-5　イテレーション計画をプランニングしよう

確な見積に基づく必要はなく、経験と勘に基づいて「何となく」決めても構いません。重要なのは、何となくでも良いので計画を立てることで、全員がタイムボックスを意識して話し合うようになれば、最初の話題だけで会議の時間が終わってしまうような事態はなくなります。

とはいえ、特に最初のうちは、決めた通りの時間で話が終わらなくなりがちです。ヒント72で述べた通り、そんなときには時間を優先して話を切り上げるのではなく、会議を延長してでも会話を優先しましょう。それでも、時間にこだわる練習はした方が良いですし、そのためにもイテレーション計画会議のプランニングは重要です。仮に１つ目の議題が早めに終わったり、予想以上に時間がかかった場合には、その都度会議のプランニングをし直すタイムマネジメントをしながら進めましょう。やがてチームが成熟してコミュニケーションがスムーズになれば、予定通りに会議を進めて、必要なことを残さず話し合えるようになります。

ヒント 081　イテレーション計画はモブ設計の場と等しい

イテレーション計画の目的は、「そのイテレーションで実施したいユーザーストーリーを実現するために、開発チームは何をどのように作るのか」を決めることです。分解すると、３つの作業を行うことになります。

1. プロダクトオーナーがユーザーストーリーリストから優先順位の高い順に、このイテレーションで実現するユーザーストーリーを選び、なぜそれが必要なのか、どのような価値を得たいのかを開発チームに説明する。
2. 開発チームはユーザーストーリーを理解して、得られる価値を最大化するためには何を作るのか、そのためにどのようにするのかを決めてタスク化し、ToDoリストを作成する。

3. 開発チームがタスクごとの見積を行い、実行可能な範囲を明確にし、このイテレーションのゴールをアジャイルチーム全体で合意する（プロダクトオーナーは必要に応じてユーザーストーリーの分割や統合を行い、ユーザーストーリーリストを更新する）。

このうち、メインになるのは2、すなわち、ユーザー目線で作成されたユーザーストーリーリストを、開発者目線でタスクに分解し、チームのToDoリストに変換する工程です。

ヒント58でも説明しましたが、ToDoリストに載せるタスクは誰がやっても同じ結果が得られるように作られている必要があります。そのための近道の1つが、チーム全員で集まって議論し、合意しながら設計を行うモブ設計であることも、ヒント58で述べた通りです。

イテレーション計画にモブ設計を取り入れる大きなメリットは、時間が節約できることです。全員で合意しながら進めれば、会議が終わったときには全員の合意形成ができているので、一部の人たちで設計や計画を進めているときには必要な「周知のための会議」が必要なくなります。なおかつ、完了したときにはチーム全員で基本設計から詳細設計に当たる内容を共有できているので、「決まったことを共有するためのドキュメント」を作るコストが不要になります。話し合ったことを思い出すためであれば、整理されたWordやExcelのドキュメントである必要はなく、ホワイトボードに書かれたメモで十分役割を果たせます。

さらに、タスクを実施するときに再度確認する必要がないほど、全員が深いレベルまでタスクを理解し、合意していれば、タスクを実行する速度が上がり、イテレーション全体でも効率が良くなります。

ヒント 082 アジャイルでは設計を行うタイミングとやり方が従来型とは決定的に違うことを理解しよう

従来型開発では、プロジェクトの最初に要件定義を行い、要件ごとにそれを実装するための設計を行います。要件定義書の内容は全てやるのが前提ですので、全体の整合性が保たれるように標準化や共通化が必要になります。要件定義する人、設計する人、実装する人は異なる場合がほとんどなので、設計が間違いなく伝わるように、設計書をきちんと作成して、レビューする必要があります。

対して、アジャイル開発では、設計はユーザーストーリーごとに、そのユーザーストーリーの実装の直前、具体的にはそのユーザーストーリーを実装するイテレーションの初めに行われます。ユーザーストーリーリストに挙げられたユーザーストーリーを全て実装するとは限らないので、「これから実装するものを直前に設計する」ことで、実装しないかもしれないユーザーストーリーのための設計というムダをなくしています。

そもそも設計の意味が、従来型開発とアジャイル開発では異なっています。従来型開発では、設計とは、要件定義で求められているもの（What）をどのように実装するかを決めるものです。対して、アジャイル開発における設計は、ユーザー目線で書かれたユーザーストーリーを、開発者目線で作成されたToDoリストに変換することです。設計の中に、ユーザーストーリーを実現するために何を作るかを決めることまで含まれている点が、従来型開発とは異なっています。そして、どう作るかは、アジャイルチーム全員で行うイテレーション計画で決めるので、設計を共有するためのドキュメントや会議も不要になります。

ヒント 083 イテレーション計画会議は２部制廃止で

先にヒント57で「ToDoリストの作成にプロダクトオーナーを参加させる具体的なアイデア」というテーマを取り上げましたが、そこでも紹介した通り、イテレーション計画会議を２部制にして、１部ではアジャイルチーム全員でユーザーストーリーリストの優先順位と内容の確認とイテレーションのゴールの決定、２部では開発チームのみでToDoリストの作成と見積の詳細化、といった会議運営をしているアジャイルチームが多くあります。

その背景には、プロダクトオーナーを「お客さま」として、なるべく時間と手間を取らせないという、従来型開発から抜けきれていない考え方があります。加えて、2017年版までのスクラムガイドでは「スプリントプランニング（イテレーション計画）」のトピックとして「トピック１：スプリントで何ができるか」「トピック２：選択した作業をどのように成し遂げるか」の２つが挙げられていました。この２つが相まって、スクラムガイドに記載されたトピック１に対応した「プロダクトオーナーが出席して、ユーザーストーリーの説明を受け、イテレーションのゴールを決めるための会議」と、トピック２に対応した「開発チームだけでToDoリストを作成するための会議」の２つを設定し、そのまま踏襲しているケースが多いのではないかと思います（ちなみに、スクラムガイド2020年版では、トピックが１つ増えて「このスプリントはなぜ価値があるのか？」「このスプリントで何ができるのか？」「選択した作業をどのように成し遂げるのか？」の３つになっています）。

会議を２部制にする弊害についてもヒント57で触れましたが、別の視点から見た弊害としては、見積が２回必要になることがあります。まず、１部では、イテレーションのゴールを決めるために、ユーザーストーリーリストの上位のユーザーリストについて見積をして、何番目までを実現できるかを決める必要があります。そして２部では、ToDoリストを作るためのタスク分解とタスクごとの見積を行う必要があります。２回見積を行う手間がかかりますし、そもそもこの２つが一致するとは限りません。２部制を廃止すれば、プロダクトオーナーと開発チームが一緒にユーザーストーリーをタスクに分解し、見積もった結果をもとにゴールについて合意すれば良くなります。見積の二度手間がなくなるだけでなく、詳細見積の結果に基づきゴールを設定できるので、イテレーション計画に無理がなくなります。

ヒント 084 他チームとベロシティの値を比べるのはなぜ無意味なのか

ベロシティとは、開発チームが作業を進める速度を指します。アジャイル開発においては、ベロシティの単位は見積と同じ「ポイント」で、ベロシティの数字はイテレーション内にチームが実行できるポイント数です。

ヒント70でも説明しましたが、見積の基準となるのは過去のそのチームの実績です。ペットボトル飲料１本の値段の見積が、近所のコンビニで買う人と富士山の山小屋で買う人とで違うように、同じようなタスクに対して、見積もるチームによってポイントが異なるのは当然です。従来型開発に慣れた人は、ポイントを「工数」と同じようにとらえ、ベロシティが低いチームを「生産性が低い」と評価しがちですが、そもそも見積の基準が違うので、数値を比べることには意味がないのです。

一方で、同じチームのベロシティの数字の変化を追うことは、チームの生産性の推移を測る目安になります。イテレーションごとのベロシティでそのイテレーションのパフォーマンスを把握できますし、ベロシティの上昇でチームの成長を測れます。しかし繰り返しとなりますが、ベロシティの数字を比較して他のチームと優劣をつけることには意味がありません。

ヒント 085 開発効率＜価値実現効率。作り手の都合は後回し

アジャイルで最も優先するのは「プロダクトの価値の最大化」です。「10分で読むアジャイルの概要」で、「移動を楽にする」価値を実現するためのモノづくりを、まずスケートボードから始めてキックボード、自転車、バイク、自動車と進化させていく例で説明しました。この方がタイヤ、シャーシ、ボディ、エンジンとバラバラに作って最後に結合して自動車にする従来型アプローチよりも、「楽に移動する」という一番重要な価値を早く実現できます。

「最終的に車を作るために、最初にスケートボードを作る」考え方は一見、ムダに見えます。なぜなら、スケートボードを作っても、それが車の部品として使えるわけではないからです。でもそれは結果論ですし、後になってふりかえってみるとムダに見えてしまうだけで、実際にはその時点で自動車が最終的な正解かどうかは誰にもわからない状態です。だから、未来は正確に予想できないのが前提であるアジャイル型アプローチでは、「車輪で移動を楽にできる」価値の実現を優先しますし、自転車や自動車に車輪を組み込むために、タイヤの作り直しをします。

「アジャイル宣言の背後にある原則」に、「要求の変更はたとえ開発の後期であっても歓迎します。変化を味方につけることによって、お客様の競争力を引き上げます」とあります。「せっかくここまで作ったのに」とい

う作り手の気持ちや、「この方が効率良く作れる」という作り手の都合は、使い手が得られる価値とは関係ありません。たとえ作り直しが発生したとしても、「ユーザーが価値を得た」「欲しいものが明確になった」「満足を得た」のであればそれはムダではないのです。プロダクトは作り手が作りやすいようにではなく、使い手が使いたいものをはっきりさせ、より大きな価値を得られるように作ります。

ヒント 086 イテレーション計画だけがアジャイルにおける計画ではない。もう1つの計画の重要性

アジャイル型アプローチで「計画」といえば、実行直前に立てるイテレーション計画を思い浮かべる人が多いですが、プロジェクトを進めるには「全体計画」も重要です。とはいっても、従来型開発で立てる、長期にわたるプロジェクトの最初からゴールまでの全体計画とは意味が異なります。

アジャイル開発における全体計画は、目的達成のための長期計画を立てたとしても、先のことほど正確な予測は困難であるという前提に立っているので、示すのは「このままいけばどこに到達するか」という予想です。

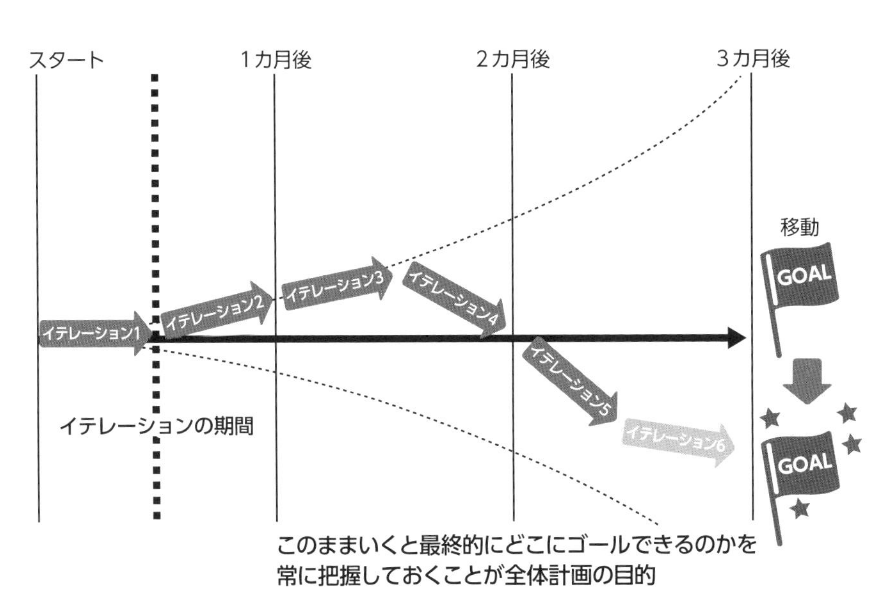

図4-6 イテレーション計画だけがアジャイルにおける計画ではない

イテレーション計画は状況を把握しやすい短期の計画であり、詳細に立てますが、それだけではユーザーから見て、最終的に何がいつ頃できるのかがよくわからなくなります。状況の変化に応じた計画をその都度立てて実行するため、最終的なゴールは当初の想定とは異なると予想されます。これを受け入れ、あらためて全体計画として共有することで、ゴールを把握でき、できあがる成果物は状況に対応したムダのないものになります。

ヒント 087 このまま「変化が起きなければ」、いつ頃どこまでたどり着けるかを示し続けることの重要性

アジャイル型アプローチにおける「全体計画」は、アジャイルチームの外にいるステークホルダーに対して、チームの動きを理解してもらうためにとても重要です。全体計画がなくては、このプロダクトは最終的にどこに着地するのかを説明できません。それでは経営層は経営判断ができませんし、発注者もお金を出せません。

とはいえ、アジャイルの「全体計画」は、ゴールが移動することを前提としています。そう言うと、「最初にやると言ったことをやらない」という変更のデメリットばかりに注目されがちで、なかなか受け入れてもらえないかもしれません。そんなときには、変化を受け入れることは「状況の変化に対応するためのあなたの希望を受け入れ、計画を変えられる」ことでもあると説明すると、理解してもらえる場合が多いです。

重要なのは、ステークホルダー全員に対して「全体計画」で到達点を示すだけではなく、合意を得続けることです。そのためには、イテレーションごとに動く成果物を共有し、変化する状況を反映し続けていること、状況が変化して意味がなくなったことを「当初の計画にあるから」というだけの理由で実施するムダが起きていないことを示し続ける必要があります。「やると言ったことをやらない」とクレームをつけるステークホルダーは、プロジェクトから離れてしまって、状況の変化に追随できていない場合が多いです。その人を黙らせるのではなく、プロジェクトに引き込むために、こまめに報告をするとともに全体計画の変更を共有しましょう。それができていれば、たいていの経営者も顧客も「計画の変更」が、変化に追随するためのものであると理解し、優先順位の変更を受け入れやすくなります。

4-4
デイリーミーティングで変化を察知する

デイリーミーティングの役割は、イテレーションがゴール達成に向けて進んでいるかどうか、毎日検査することです。その目的は、状況の変化に気づくことです（改善のための議論は、デイリーミーティングとは別に行います）。変化に気づきやすくするために、毎日同じ時間、同じ場所で、短時間開催します。アジャイルチーム全員の参加が望ましいです。プロダクトオーナーも、毎日は無理でもできるだけ参加しましょう。

ヒント 088 「進捗が予定よりも遅れている」という言葉が関係者から出てきたら危険信号

デイリーミーティングでありがちで、かつ、良くないのが、ミーティングが進捗会議になってしまうことです。私たちがアジャイルチームを支援するときにも、「デイリーミーティングで『進捗が遅れています』が出てくるのは危険なシグナルの１つ」という話をよくします。この言葉は、デイリーミーティングが昔ながらの進捗会議に戻りかけていることを示す危険信号だからです。

進捗を会議で共有しなければいけないのは、開発チーム内でコミュニケーションが十分にできていない結果です。ヒント24で述べたように、タスクボードが常時見えるところで共有されていてきちんと運用されていれば、もしくは、わからないことがあればわかる人に聞く、思ったほど進められていなければ助けを求めるといったコミュニケーションが常時取れていれば、進捗は自ずとチーム全体で共有されるので、わざわざ毎日確認する必要がありません。短時間で行う会議で、進捗の共有に時間を取られるのではなく、状況の変化を見つけるために注力しましょう。

そもそも、「オンスケです」「３日遅れています」といった報告は、「価値の最大化よりも立てた計画通りにタスクをこなすのが大事」というマインドになってしまっている表れであり、アジャイル型アプローチの「よりよい方法を考え続ける」ことができなくなっているシグナルとも言えます。デイリーミーティングで「進捗が遅れています」という言葉がチームメンバーから出てくるようになったら、全員でアジャイルマインドをもう一度確認してみてもいいかもしれません。

ヒント 089 タスクはPush型ではなくPull型で引き受ける

デイリーミーティングでは各人がその日に行うタスクを決めて実行します。その際にありがちなのが、誰かがそれぞれのメンバーのスキルや能力を勘案して「このタスクはAさん、このタスクはBさん」と割り振ってしまうことですが、それは避けた方が良いです。今日何をやるかは、各メンバーが自分で選ぶようにします。

自分でタスクを選べば、自分でやり遂げるというモチベーションが働きやすくなり、成長につながります。多少今の自分から背伸びをしたタスクであっても、チームメンバーに助けてもらいながらチャレンジすることで、自分のスキルの幅を広げられます。これによって、最初は人によってできること、できないことがあっても、徐々に皆ができることが増えていき、チーム全体の能力の底上げにつながります。アジャイルではメンバーの育成すら自然と行われる仕組みとなっているのです。

もちろんこれは、イテレーション計画で「誰がやっても同じ」なレベルまでにタスクが詳細化されていることが前提です。タスクは誰かに与えられる「Push」ではなく、自分から取りに行く「Pull」で引き受けるようにしましょう。

ヒント 090 「異常なし」が続くことの「異常」を見逃すな。背景に潜む心理的安全性の低下

繰り返しになりますが、デイリースクラムの目的は、状況の変化に気づくことです。そして、日々仕事をする中で、何も起こらないことはまずあり得ません。デイリースクラムで皆が口を揃えて「問題がありません」という状態、ヒント95やヒント102で述べますが、タスクボードでいつも綺

麗に予定していたタスクが終わっていたり、ニコニコカレンダーで何日もずっと同じニコニコマークが並んでいるような状態は「異常」だと考えましょう。従来型開発でも、WBSに「オンスケ」が並ぶとまずいことになっているのにそれに気づかないことが多い、というのは定説ですが、それと同じです。

原因の１つとして、デイリースクラムの場が、心理的安全性が低下した状態にあることが考えられます。参加しているチームメンバーが、批判や叱責を恐れて、困っているのに「困った」と言い出せない状態になっていないか、相談や助け合いができる雰囲気がなくなっていないか、あるいは、メンバー間の会話が極端に少ない状態になっていないか注意してみましょう。そういう雰囲気を変えるために私たちがしている工夫をいくつか紹介します。

・仕事以外の雑談をする時間を設ける

ヒント23でも述べましたが、雑談によって、「この人はどんな人か」が少しずつわかってくると、話がしやすくなるものです。デイリーミーティングの最初に短時間のアイスブレイクを設けたり、持ち回りで小話をすると雑談しやすくなります。毎日短い時間でも継続できるのが、デイリーミーティングに雑談を取り入れることの良いところです。

特にリモートの場合、顔を合わせていない分、雑談の機会は失われがちなので、デイリーミーティングや、後で述べるようにふりかえりで意識して雑談の時間を取ります。

・ファシリテーターを持ち回り制にする

ヒント26でも述べましたが、ファシリテーターを特定の人がやっていると、ファシリテーター以外の人は会議の運営上、何に困るのかに気づけません。たとえば、発言を促しても積極的に答えてくれないのは困りますし、他の人の発言を頭ごなしに否定する人がいたら心理的安全性が失われてしまいます。全員が持ち回りでファシリテーターをやれば、どんな行動が会議の心理的安全性を損なうのかに自分ごととして気づけ、自分がファシリテーターではないときも配慮した行動を取れるようになると期待できます。

・スーパー定時宣言（今日は何があっても絶対定時で帰る）の導入

特に忙しくて残業が多くなりがちなチームでは、「全員が必ず週１回宣言する」ルールにすると効果的に使えます。宣言が出ると場が和みますし、チームメンバーが「この人は今日は早く帰る」と意識して、自然とコミュニケーションを取りながら協力するようになります。もちろん、宣言した本人はいつもより早く仕事を終えて身体の疲れを取り、心をリフレッシュできます。本来は残業を常態化しないようにするべきですが、残念ながらアジャイルなのに持続可能なペースを維持できていないチームには、その解消の糸口としてお勧めです。

・声が小さい人（あまり話さない人）から発言してもらう

誰も意見を言っていない、まっさらな状態で話してもらうことで、他の人が何を言ったかを気にせず発言できます。「他の人と違うことを言わなくては」「あの人に反対する意見は言いにくい」など、いろいろと考えずに話せる状態を作ります。

心理的安全性が担保された場では、メンバー全員が遠慮なく発言できます。わからないこと、困ったことをそのまま発言できるので、変化に気づきやすくなります。

ヒント 091 デイリーミーティングにおける3つの質問の功罪

スクラムガイド2017年版は、デイリースクラム（デイリーミーティング）の目的を達成するための方法の例として以下の「3つの質問」を挙げています。

・開発チームがスプリントゴールを達成するために、私が昨日やったことは何か？
・開発チームがスプリントゴールを達成するために、私が今日やることは何か？
・私や開発チームがスプリントゴールを達成する上で、障害となる物を目撃したか？

この質問自体は、「変化を見つける」ために、とてもいい質問だと思います。問題は、この質問だけが一人歩きして、「デイリーミーティングは、3つの質問にチーム全員が順番に答えさえすればよい」としているケースです。このように「定型的な質問だけしておけばよい」となる弊害が大きいため、スクラムガイド2020年版ではこの質問は削除されています。
お決まりの3つの質問をすればそれで良いという思考停止はやめましょう。それよりも、変化を見逃さない工夫をする方が大切です。

ヒント092 デイリーミーティングで変化を見逃さないために必要なこととは

デイリーミーティングは、毎日短時間で行うミーティングです。その中で変化をとらえるために大切なことの1つは、「1つのことにフォーカスしすぎず、全体を見渡すこと」です。
全体を見るために有効なのが、毎日必ず全員に発言してもらうことです。普段あまり発言しない「声の小さい人」から話してもらうといった工夫をすると、話しやすくなります。その際に、体調はどうか、言いたいけれども言えないことはないか、誰かの問題をチーム全体の問題として共有できているか、という観点で、変化が起きていないかを確認しましょう。
そして、何か状況の変化を見つけたとしても、数十秒単位で即断即決できるものでなければ、その対応についてはデイリーミーティングの中では話し合わないようにします。その場で話し始めると、限られたミーティングの時間がその話題に使われてしまい、発言ができないメンバーが出てきたり、別の変化を見落とす危険性があるからです。対応のための議論は、デイリーミーティングが終わった後に、別の打ち合わせの場を設けて、適切な参加者によって行いましょう。
変化を見逃さないためには、短時間の議論に集中するのも大切で、そのために、スタンドアップ（立ったままの状態で）ミーティングを行うのも効果的です。その際にも、なぜ立った状態でミーティングをしているのか、理由を忘れないようにしたいものです。

ヒント093 イテレーション実施中にタスクが増えてしまうのは本当にいけないことなのか？

イテレーション計画で作成したToDoリストに基づきタスクを実行していると、途中で別のタスクが発生することがあります。たとえば、検索機能を作っているときに「データベースの構造を修正した方が良いかもしれない」と気づいてしまった場合、「データベース構造の修正」はイテレーション計画立案時にはなかった新しいタスクになります。

イテレーション計画は「状況が見通せている短い期間の精度高い計画」とはいえ、人間がやることなので完全に正確に見通すことはできません。当然、新しいタスクが発生する可能性はゼロではありません。このときにやってはいけないのは、イテレーション計画を守ることを最優先して、「計画にないタスクだからやらない（あるいは後回しにする）」と、思考停止に陥ることです。まずはデイリーミーティングで、「タスクが増えそうだ」という変化をチームに共有しましょう。アジャイル型アプローチで重視する「プロダクトの価値をより大きくする」ために必要なタスクであるとアジャイルチーム全員が合意したときは、イテレーションの途中であってもToDoリストに追加して実行します。

とはいえ、イテレーションのたびに毎回タスクの追加が起こったり、タスクが何倍にも増えてしまったりするのは、計画自体が少し甘いということでもあります。ふりかえりで、どうすれば精度の高い計画を立てられるか考え、改善していきます。

一番良くないのは、「タスクが増えるのは良くない」と考え、増えたタスクを隠蔽してしまうことです。タスクが増えること自体は悪いことではありません。ただ、慢性的に計画外のタスクが増える状況は、ふりかえりで改善しましょう。

4-5

タスクボードの使いこなし

デイリースクラムで日々の変化に気づくために使われる代表的なツールの1つが、タスクボードです。タスクの状態や、それぞれのメンバーが持っているタスクを可視化するために使われます。

図4-7は、よく使われているタスクボードの例です。1枚の付箋に1つのタスクが記入されています。イテレーションの最初に、「未着手」列に全ての付箋を貼っておき、メンバーが自分のタスクに取り掛かるときに、実施中の担当者の名前がわかるようにして、付箋を移動します。完了したらその付箋を「完了」列に移動します。イテレーションの最後には、全て

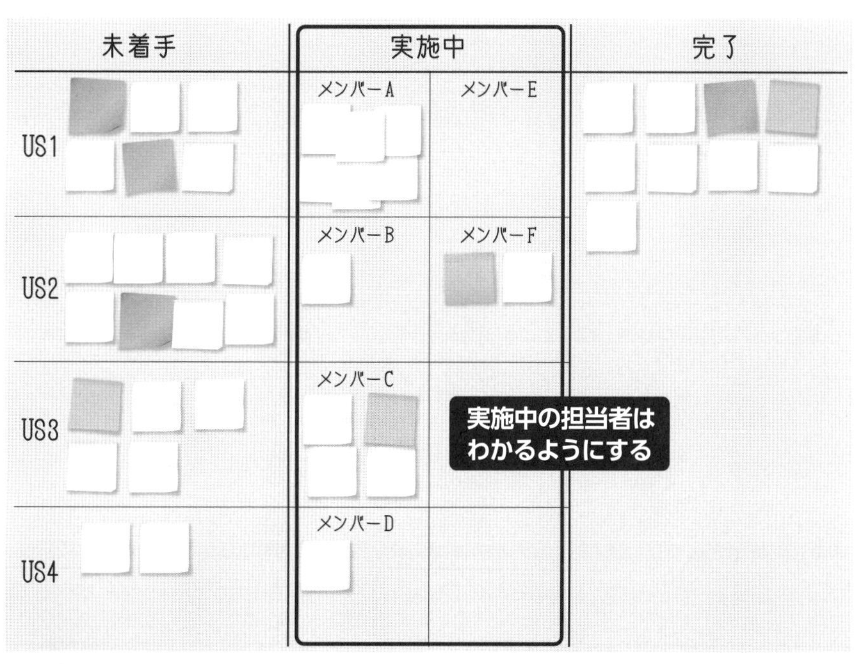

図4-7 タスクボード

の付箋が「完了」の列に移動した状態になります。

日々の変化を見つけるために、私たちが着目しているポイントをいくつか紹介します。

ヒント 094 タスクボードは優先順位に着目すべし

未着手のタスクを見て、優先順位の高いユーザーストーリーのタスクがまだ残っているのに、優先順位の低いユーザーストーリーのタスクが先に完了していないかをチェックしましょう。もしそのような状態になっていたら、アジャイルの基本的な考え方である「優先順位の高いものからやる」ではなく、簡単なものから着手、完了している状態の表れかもしれません。優先順位が守られていないと気づいたら、なぜ、そのような状態になったのかを、後述するふりかえりで検証し、改善策を考えて実行に移す必要があります。

ヒント 095 タスクボードがいつも同じ形で終わっている場合は疑え

イテレーション最終日のタスクの状態としては、大きく分けると「最終日にタスクが終わらない」「最終日より前に全てのタスクが終了している」「最終日にきれいに全てのタスクが終了する」の３つのパターンがあります。

アジャイルチームがイテレーション計画を適切に立て、全力でプロジェクトに取り組んでいる場合は、どのパターンも出現する方がより自然です。一方、最終日にタスクの状態がいつも同じパターンで終了している場合は、以下のような原因が考えられます。

1. いつもイテレーション最終日にタスクが終わらない：イテレーション計画時に無理をして背伸びした（実力以上のタスクを実施する）計画を立てている、もしくはチームが成長できていないのが原因と考えられます。常態化すると、イテレーション計画を守らないのが当たり前になってしまいます。
2. いつもイテレーション最終日より前に全てのタスクが終了している：

Ⓐイテレーション最終日にタスクが終わらない

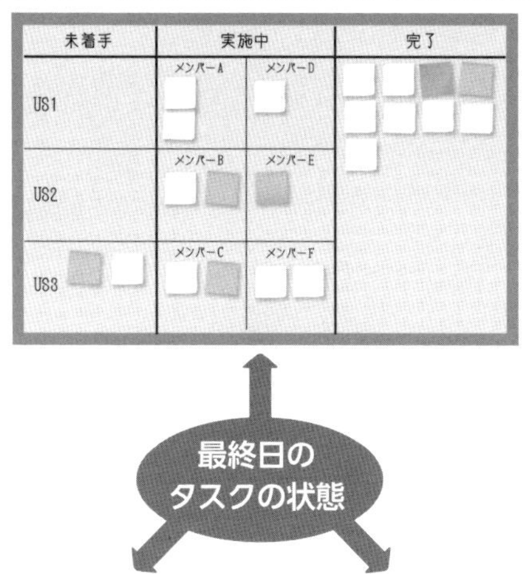

最終日のタスクの状態

Ⓑイテレーション最終日より前に全てのタスクが終了している

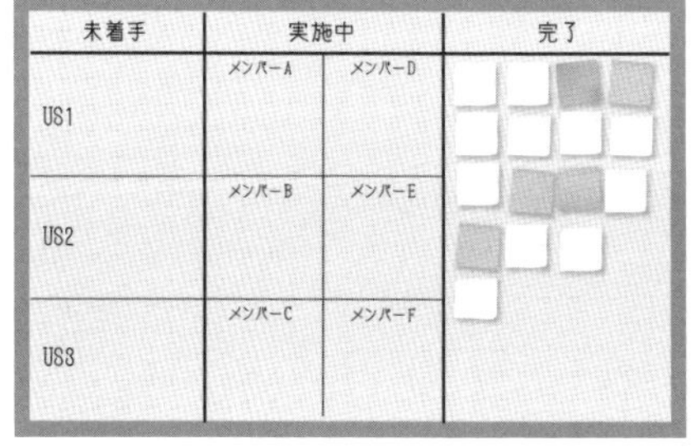

Ⓒイテレーション最終日にきれいに全てのタスクが終了する

未着手 実施中 完了
メンバーA メンバーD
メンバーB メンバーE
メンバーC メンバーF
US1 US2 US3

図4-8 タスクボードから読み取れる異変の例

前の例とは逆に、イテレーション計画時に余裕を持ちすぎているかもしれません。全力で働けばもっと多くのタスクを実行できるのに、そのモチベーションが働いていない可能性があります。

3. いつもイテレーション最終日にきれいに全てのタスクが終了する：計画を守るのは素晴らしいことですが、常に完璧に読みが当たるのは不自然です。完全に終わらないタスクは適当なところで終わらせたことにする、早く完了できるタスクを時間をかけてゆっくりやるなど、どこかで調整がされている状態かもしれません。

１の場合は、イテレーション計画に無理にユーザーストーリーを詰め込みすぎないよう、見積とイテレーション計画の立て方、そしてふりかえりを改善しましょう。２、３の場合は、「（休むときは休むが）定時間内は常に全力で仕事に取り組む」というアジャイルのマインドを再度チーム全体で確認し、イテレーション計画に反映しましょう。

ヒント 096 タスクボード上に担当者を明記するのは実施中のステータスのみに限るべき

イテレーション内で実行する全てのタスクは、チーム全体のタスクですが、誰がどのタスクを実行しているかがわかるようにする必要はあります。そのための工夫として、タスクボードの「実施中」の列を人別に区切って実施中の付箋を貼る、小さな付箋に名前を書いてタスクの付箋に貼る、人別にマグネットの色を決めてタスクボードに貼るなど、さまざまな方法があります。

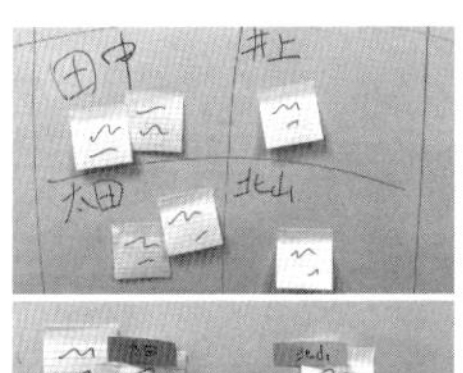

列を人別に区切って
実施中の付箋を貼るパターン

小さな付箋に名前を書いて
タスクの付箋に貼るパターン

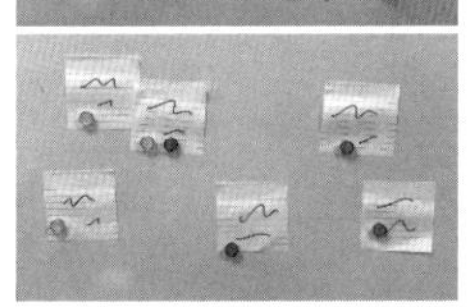

人別にマグネットの色を決めて
タスクボードに貼るパターン

図4-9 タスクボード上に担当者を示す方法の例

実施中のタスクを誰が持っているかをわかるようにしておくのは、後で述べるような偏りに気づくために必要ですが、完了したタスクを誰がやったかはあまり重要ではありません。むしろ、「誰がいくつタスクを完了した」という数字が変に一人歩きして、メンバーごとの進捗を出したり、タスクの完了数を競うような、誤った使われ方につながる可能性があるので、避けた方が良いでしょう。

アジャイルチームのタスクは、個人のタスクではなくチームのタスクです。完了したタスクは「チームが完了したタスク」としてひとまとめにすれば、タスクが滞っている人がいたとしても手の空いた人が支援してチームのタスクを完了させる気持ちが生まれます。その安心感が積極的な助け合いにつながる好循環を生み出します。

ヒント 097 実施中のタスク状況を見ればメンバーの負荷の偏りが見えてくる

個人別に見ると、実施中のタスクの数には当然ばらつきがあります。とはいえ、極端に特定の人にタスクが偏っていたり、どんどんたまっていっていないかは確認しましょう。

たとえばAさんにタスクが偏っていた場合に、考えられる原因の１つは、タスクの属人化が発生していることです。タスクの詳細化が不十分で、「Aさんにしかできないタスク」が発生してしまうと、それらは全てAさんが取る必要があるので、数が増えます。別の原因として考えられるのが、Aさんに体調やプライベートなどで仕事に集中できないような何らかの問題が発生している場合です。こちらは、タスクの完了が遅れて実施中のタスクが減らなくなります。

イテレーション計画で適切なタスクの詳細化ができていれば、それぞれのタスクはチームメンバーの誰が取っても同じように実行できます。デイリーミーティングでタスクの偏りが見られるようなら、他の人がそのタスクを手伝ったり引き継いだりして完了させ、偏りを解消しましょう。この考え方を常に実践できるようにするためには、「個人のタスク」から「チームのタスク」への意識変革が一番大事になります。

4-6 バーンダウンチャートの具体的な工夫

バーンダウンチャートは、未完了のタスクをグラフで表すことで、開発の状況を可視化したものです。縦軸には作業量の単位としてタスク数もしくは見積ポイント数を用い、横軸には営業日を取ります。1日の終わりに、イテレーション内に行う総タスクと残っているタスクをプロットして前日までの推移と結び、このまま進んで最終日にイテレーションゴールが達成できそうかを視覚的に表します。それに加えて、イテレーション開始からその日までに完了したタスクを積み上げて推移を表す「バーンアップチャート」を使用する場合も多いです。

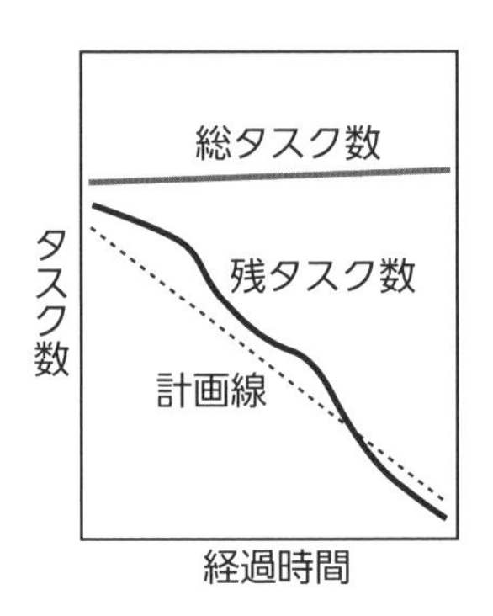

図4-10 バーンダウンチャート

ヒント 098 バーンダウンチャートから読み取れる異変の例

バーンダウンチャートの傾斜は、「1日に完了できているタスク」の変化を示しています。イテレーション期間中毎日コンスタントにタスクを完了するのであれば、バーンダウンチャートはほぼ直線になり、イテレーション終了日には残タスクがなくなると想定されます。しかし実際には、最

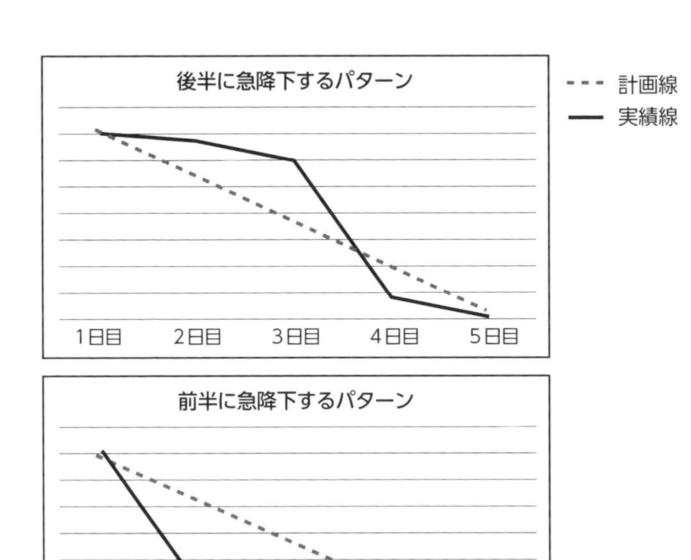

図4-11 バーンダウンチャートから読み取れる異変の例

終日に残タスクがなくなっていたとしても、途中では図4-11のように計画を大きく外れる形で傾きが変化していることがよくあります。

「後半に急降下するパターン」は、逆に言えば、イテレーションの前半はほとんどタスクが完了できていない状態です。イテレーション計画時のタスクの詳細化が不十分でメンバーの共通理解が少ない状態だと、タスクを取った後に、さらにタスクを理解するために詳細化する作業や、他のメンバーとの認識合わせに時間を取られ、イテレーション前半はToDoリストにあるタスクを完了できない状態になりがちです。後半になると詳細化できたタスクが完了できるので、前半に比べて傾斜が大きくなります。また、タスクの粒度が大きすぎて1つのタスクを完了するために複数の日数が必要になる場合も、バーンダウンチャート上では仕掛かりのタスクは「残タスク」となるため、このパターンになります。いずれの場合も、イテレーション計画時のユーザーストーリーリストからタスクへの変換や、タスクの詳細化とメンバー間の共通理解が不十分なことが原因です。ふりかえりで理由を検討し、常に同じ傾向が見られる場合は、イテレーション計画のやり方を見直しましょう。

逆に「前半に急降下するパターン」は、ユーザーストーリーリストの優先順位に関係なく簡単なタスクから完了させている可能性があります。簡単なタスクは早く多く完了できるため、前半は傾斜が大きくなりますが、後ろにいくほど難しいタスクが残るので完了に時間がかかり、傾斜が小さくなります。見た目の進捗を上げるために簡単なことから手をつけるのではなく、優先順位の高いものから完了させる、というアジャイル型アプローチのマインドをもう一度徹底しましょう。

ヒント 099 バーンダウンチャートでは何を見ているのか（進捗だけを見るものではない）

デイリーミーティングで「変化に気づく」ためには、バーンダウンチャートの残タスク量で進捗を確認するだけでなく、日々の傾斜の変化に注目しましょう。

傾斜が緩くなれば、それは完了できたタスクが減ったことを表しています。何か技術的なトラブルが発生した、誰かが体調を崩した、などさまざまな原因が考えられます。解決できそうなことなのか、それとも計画を見直す必要があるのかを検討し、対策を打ちます。

逆に傾斜が急になれば、完了できたタスクが増えたことを表しています。何がうまくいったのか、次に活かせないかを検討します。

また、バーンダウンチャートの傾きの変化は、「ふりかえり」で決めた改善行動策の効果を見るためにも使われます。

ヒント 100 バーンダウンチャートの功罪とバーンアップチャートの活用

特にチームがアジャイルに不慣れなうちは、イテレーションの途中でタスクが増えることもあります。すると、バーンダウンチャート上では、「タスクを完了しているのに新たにタスクが追加されて、結果、残タスクが減らない」ことになってしまいます。「やってもやっても終わりが見えない」状態では、チームのモチベーションが下がってしまいます。

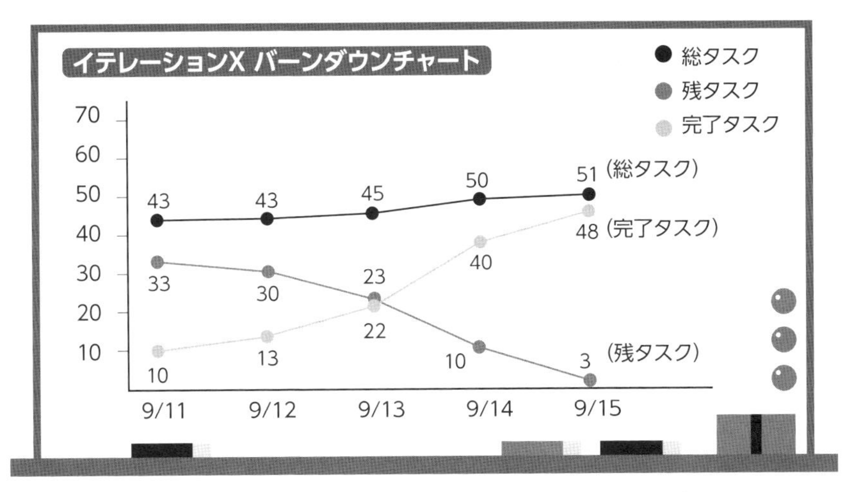

図4-12 バーンダウンチャートとバーンアップチャートを組み合わせる

そんなときに活用できるのが、「終わったタスクを積み上げる」バーンアップチャートです。バーンアップチャートはタスクを完了すれば必ず数字が上がるので、成果が目に見え、チームのモチベーションアップにつながります。

さらにもうひと工夫して、バーンダウンチャートとバーンアップチャートの両方を同じ図の中にプロットしてみましょう。すると、交差したところがちょうどタスクの折り返し地点になります。だいたいこれがイテレーションの真ん中当たりに来ると、良いペースでタスクを完了できていると視覚的に判断できるのもこれらを併用する利点です。このことに気づいてからは、私たちはこの組み合わせ方式を採用する場合が多くなりました。

ヒント101 バーンダウンチャートの縦軸はタスク数かポイント数か

バーンダウンチャートの縦軸には作業量を表す数字としてタスク数かポイント数を使用します。どちらを利用するかはケースバイケースです。

ポイントはそれぞれのタスクの「重み」を表しています。2ポイントのタスクと5ポイントのタスクでは、同じ1タスクでも5ポイントのタスクの方がイテレーション内で完了する作業に占める割合は大きくなります。

従って、縦軸にポイントを取る方が、より精密に作業の状況を可視化できます。その反面、日々のバーンダウンチャートの作成は大変になります。完了したタスクの数を数えるだけではなく、それぞれのタスクのポイント数を足す必要があるからです。たとえばかんばんに付箋を貼って、付箋にポイント数を書いている場合、バーンダウンチャートをタスク数で作成するのであれば「完了」に移動した付箋の数を数えれば良いですが、ポイント数で作成する場合は付箋に書かれたポイント数を全て足さなくてはいけません。

その作業に時間をかけてでも厳密にやることでチームが価値を得られるならやるべきですが、単に「傾向を見たい」だけであればそこまでの時間をかける必要はないかもしれません。私たちの経験では、きちんと見積ができているプロジェクトでイテレーション期間中に40〜50以上のタスクを実施する場合は、タスクの数で作ったバーンダウンチャートとポイント数で作ったバーンダウンチャートはほぼ変わらない形になることが多かったです。それだけタスクがあれば、ポイントによる重み付けがあっても全体で見れば平均化されるので、その場合は日々の運用の大変さを考えるとタスク数を縦軸に取る方が良いように思います。逆に、人数が少なくてイテレーション期間中に実施するタスクの数が10〜20程度と少ない場合は、ポイント数で見ないと実際の作業量との間に大きなずれが出ますので、ポイント数を使用した方が良いでしょう。

まとめると、タスク数を使用すれば、正確性は欠くけれども傾向は把握できて、運用は楽です。ポイント数を使用すれば、運用は大変ですが、正確に把握できます。それぞれにメリットとデメリットがあり、唯一の正解はありません。自分たちのチームにはどちらが向いているかで判断しましょう。

ヒント 102 ニコニコカレンダーから読み取れること

ニコニコカレンダーは、チームのムードやメンバーの気持ちを顔のマークで見える化したものです。メンバーが毎日、今の気分を「良い」「普通」「良くない」などのいくつかの段階で評価し、フェイスマークにしてカレンダーに貼ります。全員の気分が見えれば、その日のチームの雰囲気がわかります。タスクボードやバーンダウンチャートがタスクの進め方や進捗から変化をとらえるツールであるのに対し、ニコニコカレンダーは気分やムードといったよりエモーショナルな部分の変化をとらえるツールです。

	2/1	2/2	2/3	2/4	2/5
Aさん	😆	🙂	😆	☹	😆
Bさん	😆	🙂	😆	😆	😆
Cさん	😆	🙂	☹	☹	☹
Dさん	😆	🙂	😆	😆	😆

図4-13 ニコニコカレンダーの例1

たとえば図4-13の例でいえば、2/1には全員は「良い」気分だったのが2/2には揃って「普通」になっているので、何かチームにマイナスになるできごとがあった可能性があるとわかります。また、その翌日以降Cさんだけがずっと「悪い」気分が続いており、Cさんに何か継続的な不調がありそうだとわかります。

	2/1	2/2	2/3	2/4	2/5
Aさん	😆	😆	😆	😆	😆
Bさん	😆	😆	😆	😆	😆
Cさん	😆	😆	😆	😆	😆
Dさん	😆	😆	😆	😆	😆

図4-14 ニコニコカレンダーの例2

また、図4-14の例は、全員ずっと「良い」状態が継続しています。しかし毎日仕事をしていればいいことも悪いこともあるのが普通ですし、人によって気分が違うのが当然です。このような、毎日全員に変化がないパターンは、実は思っていることを言い出せない状況になっている可能性があります。チームの心理的安全性が保たれて誰でも発言できる雰囲気があるか、チームメンバー間の対話ができているか、といったことを見直しましょう。

4-7

着実に動く成果物に近づくための、タスク実施の工夫

イテレーション期間の中で、チームが最も長い時間をかけているのがタスクの実施です。しかし、アジャイル本の中で、「どうやってうまくタスクを実行するのか」にマネジメントの観点で言及したものはあまり多くないように思います。チーム全体でタスクをこなして最大のパフォーマンスを上げるための、ちょっとした工夫を紹介します。

ヒント 103 10分ルール（わからないことはわかっている人にすぐに聞く文化を作る）

開発チームのメンバー１人１人には、それぞれ得意な分野と不得意な分野があります。にもかかわらず、従来型開発ではWBSに担当者名が入った瞬間に、そのタスクはその人の責任になります。不得意な分野のタスクを割り当てられてしまったとしても、自分で考えたり調べたりと努力して何とか実行するしかありません。一方、アジャイルでは、タスクはチームで完了させるものであり、誰が実際にやるかは重要ではありません。不得意なことをいつまでも１人で考えたり調べたりするのは時間の浪費であり、ある程度考えてもわからないことは人に聞くのがチーム全体のパフォーマンスを上げることになると考えます。

とはいえ、他のタスクを実行している人に質問するのは、邪魔をしてしまう気がして声をかけづらいものです。聞かれる方も、自分が時間をかけて得た知識を簡単に教えるのは、内心気分が良くないかもしれません。しかし、チームのルールとして「10分考えてもわからないことは、わかる人に聞く」と宣言すれば、質問する方は抵抗感が減りますし、教える方も「自分が困ったときには教えてもらう立場になる」と気づけます。念のためですが「10分」という時間を設定しているのは「いきなり質問しないで少しは自分の頭で考えよう」という意味です。絶対的な長さに意味はない

ので、ここは5分だったり、20分だったり、チームによって違って良いのです。

初めのうちは質問するときに「わからないことが恥ずかしい」と感じるかもしれません。しかし、個人の恥を恐れて質問しないで時間を浪費してしまうと、結果としてチームがタスクを完了できなくなってしまいます。個人の恥よりもチームの恥を恐れて、わからないことはわかっている人に聞ける文化を作りましょう。

ヒント 104 アジャイル開発でリファクタリングを行わないとどうなるのか

リファクタリングとは、プロダクトの動作を変えずに内部の構造を見直すことです。アジャイル開発では、イテレーションごとに「動く成果物」

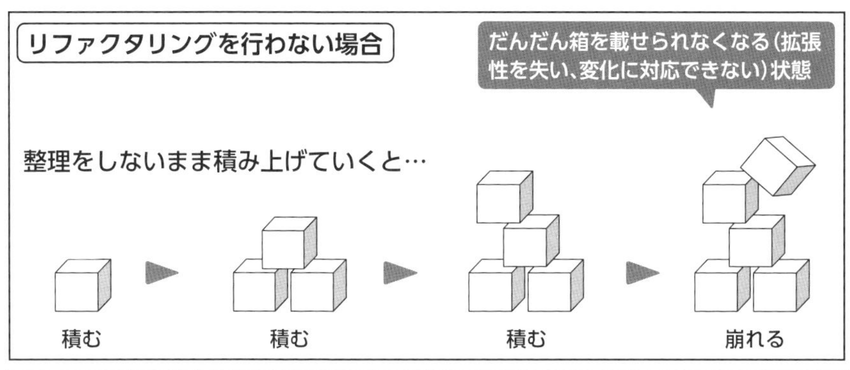

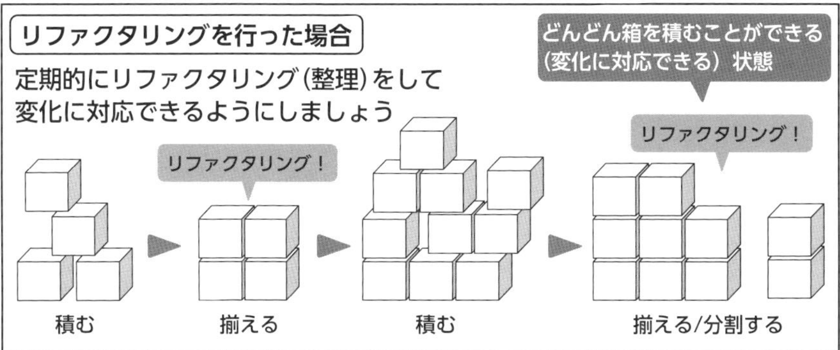

図4-15 リファクタリング

を作り、前のイテレーションの成果物とマージして新しい成果物を作ります。そのときに確認するのは「つなげてもちゃんと動く」ことなので、共通化など、内部構造の整理が行われるとは限りません。

それはたとえて言えば、箱の上に積み方を考えずに別の箱をどんどん積み上げていくようなものです。数が増えてくるとちょっとしたことでバランスを崩すので、あまり多くの箱は積めません。プロダクトでいえば、拡張性が低下し、変化に適応できなくなります。リファクタリングとは、こまめに箱を整理して積み方を見直し、より多くの箱を安全に積めるようにする、すなわち拡張性と変化への適応を取り戻すことです。

リファクタリングを行うタイミングは、普段から少しずつ全員が意識して行うのが望ましいです。ヒント63で説明した通り、毎日のタスクの中で、以前作ったものと共通化できそうな部分が見つかったら、そこでリファクタリングを行います。

リファクタリングのために過去の成果物に手を入れることは必要ですが、やりすぎはムダにつながります。ソフトウェア開発で、共通化によって洗練されたロジックができたからといって、すでに動作しているプログラムの中からそれを適用できそうなものを横展開と称して網羅的に洗い出し、すでにあまり使われていない部分も「予防処置」として有無を言わせずソースコードを修正するようなことが例に挙げられます。この先もあまり影響がなさそうなところまで時間をかけて手を入れるのは、「ソースコードをきれいにすること」が目的になってしまっており、本末転倒です。

このようなリファクタリングの進め方をするときに重要なのは、「タスクを１人で抱え込まない」ことです。再びソフトウェア開発を例にすると、ソースコードを握っている（他の人に触られないように独占する）時間を最小にすることです。リファクタリング作業時には、以前作成して現在動いているソースコードや、他の人が現在作業中のソースコードに手を入れる必要が出てきます。つまり、１つのソースコードの中身を、複数のチームメンバーが入れ替わり立ち替わりで見て、編集することになります。なるべくコンフリクトを発生させないために、「自分がソースを編集する直前にpullする」「編集が終わって検証したらすぐにコミットする」「コミットしたらチーム全体に共有する」習慣をつけましょう。それでもコンフリクトが発生したらその前の状態にソースを戻して解消します。そのために、ソースコードは構成管理ツールやインテグレーションツールの機能をうまく活用して管理しましょう。

リファクタリングの途中で、動いていたものが動かなくなることは、もちろんあります。だから自動テストがとても大事になります。コミットするたびに自動テストを実行し、動かなくなったらすぐに修正して、ソースコードにバグが入っている時間を極力短くします。バグがある時間が長くなれば、チーム全体の作業に影響します。そのためにも、コミットするときはチーム全員に声をかけ、ビルドが壊れたらチーム全員で直す「日々一緒に働く状況」が必要になるのです。

私たちの経験では、リファクタリングにかける作業はイテレーション全体の10〜15%程度が適切なように思います。

ヒント 105 開発チームのパフォーマンス向上はプロダクトオーナーの即断即決にかかっている（たとえ間違っていても、次のイテレーションで軌道修正できる）

タスクの実行は開発チームの役割ですが、効率を上げるためにプロダクトオーナーが果たす役割にも大きなものがあります。

前述の通り、プロダクトオーナーの役割の１つに「プロダクトの細部にわたって決断する」ことがあります。ヒント35で述べたように、タスクの実行中に出てくる、「画面のボタン上に表示する文字を『Yes』にするか『はい』にするか」といったような、開発チームではなくビジネス上の要請でプロダクトオーナーが決めることについて、いちいち持ち帰っていては開発チームの手が止まってしまいます。プロダクトオーナーは即断即決できることがとても大事です。

そのためにプロダクトオーナーは、経営陣やユーザーなど、チーム外のステークホルダーとの調整を先回りして行いましょう。自分自身が権限を持てるように交渉しておくのが一番ですが、難しければ、開発チームと一緒に働く中で、次に実行するユーザーストーリーで出てきそうな決断ポイントを先読みし、外部のステークホルダーに根回しをしておくとスムーズです。開発チームがタスクを実行している間に、プロダクトオーナーは次のイテレーションで実施するユーザーストーリーを詳細化したり、ステークホルダーとの調整をしておくことが望ましいです。

とはいえ、先読みして決断を間違えないように行動するのは難しく、ときには間違いも犯します。そのときは、「たとえ間違っていても次のイテレーションで軌道修正できる」と考えましょう。間違えないために慎重になって、持ち帰りで検討して時間を費やすより、間違ってもいいからその場で決める勢いが大事です。

なお、プロダクトオーナーが間違ったときには、素直に開発チームに謝り、軌道修正しましょう。それが許されるチームであるためにも、プロダクトオーナーと開発チームはいつも一緒に働き何でも言い合える関係を作るのが大切です。

ヒント106 ペアワークやモブワークは本当に効果的なのか。義務化して選択肢を奪うのは危険

1つのことを2人でやるペアワークや、複数人で一緒にやるモブワークは、複数人が見ることでさまざまな視点を取り入れられるメリットがあり、間違いも減らせます。結果が出たときには、そこに至るプロセスまで含めて関わった人全員が内容を共有しているので、あらためて共有のためのドキュメントを作成したり、ミーティングを設定する必要がなく、効率が良いというメリットもあります。一方で、ペアワークやモブワークには、1つのことをやるために複数人の時間を取られるというデメリットがあります。

メリットとデメリットを考慮すると、全てにペアワークやモブワークを取り入れる必要はないことがわかると思います。たとえば、プロダクトのある1つの機能について不具合が出たときに、「どこを直せばいいか」はモブワークで検討するのが向いています。その結果、修正する部分がいくつあるかを洗い出せれば、実際の修正は1つずつモブワークでやるよりは、全員で分担した方が早く効率的にできます。その場合でも、スキルや経験が不足しているメンバーがいれば、その人はペアワークで作業を進めればスキルトランスファーもできるので、チーム全体の効率が上がります。

なぜペアワークやモブワークが効果的なのかを考えず、「このチームではモブワーク以外認めない」など、状況に応じてモブワークをするのか分

担するのか選択できる余地を奪ってしまうのは危険です。どんな簡単なタスクでもペアワークやモブワークで実行すると義務づけてしまうと、義務を守るためにかえって結果を出すのが遅くなり、効率が落ちてしまいます。ペアワーク、モブワークと分担は要所要所で上手に使い分けましょう。

ヒント 107 ツールやプラクティスやイベントを導入するだけではアジャイルにはならない

ここまで紹介してきた通り、アジャイルには、必ずと言っていいように出てくるモブワーク、かんばん、バーンダウンチャートなどの定番ツールやプラクティスがあります。また、イテレーション計画、デイリーミーティングなどのスクラムガイドで規定しているような定番のイベントもあります。しかし、これらを何も考えずにそのまま取り入れるだけでは、アジャイルを実践したことにはなりません。

たとえばアジャイルでは「自動テスト」は大事だとよく言われます。では、なぜ自動テストは大事なのでしょうか。アジャイル開発では、タスクを完了する都度、過去の成果物も合わせて全てをテストします。完了したタスクの数が増えるほどテストの回数も量も膨大になり、人手ではやっていられなくなります。だから自動テストを入れて効率化を図る必要があるのです。しかし実際には、自動テストのツールを入れて1回動かすだけで繰り返しのテストをやらないといった間違った使い方をしているアジャイルチームは珍しくありません。自動テストのツールを入れればアジャイルになるわけではありませんし、ツールを自動実行したからアジャイルになるわけではありません。人手では時間がかかりすぎるテストをコンピューターにやらせておいて、人間はより創造的な仕事に携わって効率を上げられるようにするのが本来の目的なのです。

このように、何も考えずに、アジャイルだからという理由で「かんばん」「自動テスト」などのプラクティスを導入したり、「イテレーション計画」「ふりかえり」と称するイベントを実施するだけではアジャイルにはなりません。ツールもプラクティスもイベントも、なぜそれが必要なのか、プロジェクトにどのような貢献をするのかを考えて導入しましょう。また、ただ導入するだけではなく、チームの成長に合わせて改善し続けていくことも大事になってきます。

ヒント 108 構成管理はアジャイルの基本

アジャイル開発は、最新の成果物に対して常に全員が繰り返し手を加え続けることで進められます。その際に重要なのは構成管理です。構成管理の基本的な考え方は「常に最新状況から作業をスタートする。完了した作業は即座に最新状況に反映する」ことです。

ソフトウェア開発を例に説明しましょう。従来型開発の特に初期の頃には、これを実現するためにライブラリアン（ソースコードの管理者）が手作業でソースコードの貸出や修正されたソースコードの登録などを行っていました。今は、構成管理ツールがこうした作業を自動化してくれるので、開発チームはタスクの実施に集中できます。

構成管理ツールのメリットを最大限に活かすコツは、作業の区切りごとにテストを行い、都度コミットすることです。テスト完了後のコミットのタイミングでツールがチェックを行い、問題があれば知らせてくれます。１日に数回のコミットを習慣づければ、手戻りは発生しても１〜２時間程度で済みます。

小さな単位でのテストは、不具合の混入を防ぐことにもつながります。まずはソースコードのモジュール単位、メソッド単位でのテストから始めてみましょう。慣れてきたらさらにテストの頻度を上げていきます。メソッドの中の分岐単位でテストを行えるようになれば、ロールバックもデバッグも時間をかけずに簡単にできるようになります。

チームメンバーが１日に何度もテストとコミットを行うためには、自動テストと構成管理ツールによる自動化が欠かせません。機械に任せられることは任せて、人間はプロダクトの価値を生み出すことに注力しましょう。

4-8

「動く成果物」をより良くする成果物フィードバックとは

成果物フィードバックは、イテレーションの終わりに、そのイテレーションで開発チームが完成させた「動く成果物」を関係者に披露する場です。その目的は、動く成果物を評価して、プロダクトの価値を最大限に高めるための気づきや、やるべきことを見出すことです。プロダクトオーナーは動く成果物がプロダクト品質を満たしているかどうかという視点で受け入れを行います。

ヒント109 成果物フィードバックは進捗会議ではない（テスト済みの完成したもののみを提示する）

従来型開発の進捗会議では、WBSで示されている作業がどのくらいまで進んでいるかを定期的に共有します。「着手した作業が何%ぐらいまで進んでいるか」「予定に比べてどのくらい進んでいるか・遅れているか」を共有するのが目的です。

対して、アジャイル開発の成果物フィードバックの最大の目的は、プロダクトの価値を最大化するためのアイデアを、プロダクトオーナーだけではなくアジャイルチームとステークホルダー全員で紡ぎ出すことです。

開発チームが作成した「動く成果物」を実際に動かしてみれば、机上ではイメージできなかった動作や使い勝手を実感できます。だからこそ、イメージしていた通りか、現場に入れてみたらどうなるか、どうすればもっと良くできるかのアイデアを出し合い、その場で議論できるのです。動かない未完成品ではそれができないので、成果物フィードバックの意味はほとんどなくなってしまいます。

議論から得られたフィードバックの中から、参加者が自由にユーザーストーリーに取り入れる候補を挙げます。プロダクトオーナーは、挙げられた候補の中から、取り入れるものの優先順位を決め、ユーザーストーリーリストを更新します。

また、「動く成果物」はリリース可能なものなので、テストが完了して想定した通りに動くこと、言い換えると製造品質が担保されていることが必要になります。作ってみたけれどもテストが完了していないのであれば、それは成果物として提出できません。

動く成果物がイテレーションの最後に出せない状態なのは、イテレーションの最初に行うイテレーション計画の失敗であり、開発チームだけの責任とは限らず、無理なイテレーション計画を強いたプロダクトオーナーに責任がある場合もありますし、開発チームから上がっていた開発環境の改善要望を放置していたスクラムマスターに責任がある場合もあります。ふりかえりでどうすれば改善できるかを、チーム全員で考えましょう。

ヒント110 成果物フィードバックがプロダクトオーナーやステークホルダーによる審査会になり下がってしまったときの脱出法

成果物フィードバックで重要なのは、動く成果物を見て「どうすればもっと良くなるか」を議論し、ユーザーストーリーリストにフィードバックすることです。ですがプロダクトオーナーやステークホルダーに状況を報告して承認をもらう、従来型開発でいうところの「審査会」のような場にしてしまうことがよくあります。

そもそも審査会ではない、とわかっていただくために私たちがコーチングでよく使うのが、最初に「『ここまでやりました』『進捗90%です』などの報告はしないでください」と約束をするやり方です。成果物フィードバックはあくまでも完成した動く成果物を披露する場なので、進捗要素はあえて排除するのです。

するとほとんどの場合、開発チームからは「毎回は動く成果物を出せないので、成果物フィードバックでやることがない、どうすれば良いのでしょう」といった声が出てきます。まずはそこから直す必要があるのです。フィードバック対象がないために成果物フィードバックが開けないのであれば、開けるようにするためにどうすればいいかを考え、イテレーション計画から見直します。

イテレーションの最後に動く成果物が見せられない理由の1つに、ユーザーストーリーの作り方が適切ではないことが考えられます。たとえば、「データベースの設計変更」はユーザーストーリーにはなりません。ユーザーストーリーは、「データベースの変更によってユーザーは何を得られるのか」という視点で記述する必要があるからです。たとえばデータベースを見直して「会員検索の応答速度が上がる」という価値が得られるのであれば、ユーザーストーリーは「会員検索の応答速度を上げる」といった記述になり、「データベースの設計変更」はそれに紐づくタスクとして、会員検索の応答速度を上げるために必要な部分だけを見直します。従来型開発のやり方に慣れていると、つい、「データベース全体の設計見直しをすれば、プロダクト全体の検索応答速度も上がるはずだから、先にデータベース全体の見直しをしよう」といった作り手目線で共通部分を先に作ろうとします。しかしアジャイルでそれをやってしまうと、イテレーションの最後に動く成果物ができにくくなります。

ヒント 111 成果物フィードバックは公開試験の場ではない。真の目的はフィードバックを得ること

繰り返しになりますが、成果物フィードバックは、テスト済みで製造品質が担保された成果物を動かしてみて、どうすれば良くなるかを全員で話し合う場です。全員の目の前でちゃんと動くか確認してバグ出しをする、公開テストの場ではありません。

アジャイル宣言の背後にある原則に、「動くソフトウェアを、２～３週間から２～３カ月というできるだけ短い時間間隔でリリースします」があります。計画通りに短い期間で出すことは大事ですが、期間を優先してテストができていないものを出しても、品質が担保できていないことになります。開発チームはテストが終わっていないものをイテレーションの成果物として提出するのはやめましょう。

ヒント 112 成果物フィードバックで犯人探しをしてしまうと皆沈黙するようになる。むしろ感謝を伝えよう

成果物フィードバックの場で、イテレーション計画の通りに動く成果物が完成しなかったとき、「誰のせいでうまくいかなかったのか」と犯人探

しをしたり、一方的に開発チームの責任にして責めたりしがちです。

確かに、動く成果物が提出できなかった場合、計画通りにタスクを完了できなかったのは開発チームです。イテレーション計画でコミットしたことを守れなかった点には、責任があると言えます。しかしそもそものイテレーション計画段階で、プロダクトオーナーや外部のステークホルダーが開発チームに無理を強いていなかったでしょうか。そうだとすれば、一方的に開発チームだけを責めるのは筋違いになります。

イテレーション計画で合意した通りに動く成果物ができたとしても、動かしてみたらプロダクトオーナーが思っていたものとは違って受け入れができない場合もあります。その原因は、プロダクトオーナーがユーザーストーリーを説明しきれておらず、開発チームが理解できていなかったことにあります。あるいは、プロダクトオーナーがユーザーストーリーに利用者の本当のニーズを反映しきれておらず、外部のステークホルダーからダメ出しをされることもあります。そんなときでも、従来型開発では「お客さまが満足できるものを作れなかったのは開発チームの責任」として、開発チームを責めてきました。

しかし実際のところ、ユーザーストーリーの説明不足や、ユーザーストーリーと実際のユーザーニーズのずれが生じたのは、説明不足、理解不足のプロダクトオーナーの責任です。そしてそれは、動く成果物を皆で動かしてみたからこそ明らかになったのです。受け入れができなかったとしても、開発チームが動く成果物を提出したことは決してムダではありません。

プロダクトオーナーは、まずは動く成果物を提出した開発チームに対して感謝とねぎらいを言葉で示しましょう。その上で、「受け入れるためにはここを変える必要がある」ときちんと伝え、新しいユーザーストーリーを作って次のイテレーション計画に反映するようにしましょう。

ヒント 113 成果物フィードバックのファシリテーションをプロダクトオーナーがやることの意味

成果物フィードバックは、ステークホルダーやプロダクトオーナーが開発チームの提出する成果物を審査する場ではありません。ですが、開発チームやスクラムマスターがファシリテーションをして、かつ自分たちの成果物を説明していると、どうしても「報告する人」と「報告される人」による一方的な場となりがちです。すると、開発チームはプロダクトオーナーやステークホルダーの言うことを受け入れるばかりで発言しにくくなり、対等に話し合う雰囲気ができにくくなります。

ファシリテーターを報告する側ではなく、報告される側になりがちプロダクトオーナーがやることで、開発チームの成果を一方的に審査する場ではなく、全員が対等に話し合う場という空気が作れます。プロダクトオーナー自身がその場をファシリテートする立場に立つと、「報告を受けて一方的に判断する」のではなく「一緒に有効な話し合いの場としていく」自分ごと感が強く生まれます。そもそも成果物フィードバックの目的は、動く成果物を見ながら、プロダクトの価値を高めるためにどうするかをステークホルダーも含めて話し合うことです。その意味でも、ファシリテーターはプロダクトに責任を持つプロダクトオーナーがやるのが自然です。

ヒント 114 成果物フィードバックは全員で

成果物フィードバックの場は、アジャイルチームがチームの成果物をステークホルダーに披露する場でもあります。ステークホルダーも参加して実際に動く成果物を見て、対等な立場で意見や要望を自由に述べることが大いに歓迎されます。

一方で、成果物フィードバックに参加しないユーザーや経営層が、成果物フィードバック後1カ月以上も経ってから結果に難癖をつけてひっくり返したり、追加の要望をするのは良くありません。参加しないのであれば、プロダクトオーナーは成果物に対する判断を行う権限を任せてもらえるようにあらかじめ交渉しておくのが理想です。「文句があるなら自分で成果物フィードバックの席に来て言ってください」ということです。

とはいえ、現実には毎回の成果物フィードバックに経営層に来てもらうのも難しいでしょう。現実的な落とし所としては「成果物フィードバックの結果を毎回報告し、その場で意見を言ってもらって、その次のイテレーションに反映する」という方法を取ることが経験的には多いです。その代わり、それより後での要望は、プロダクトの価値を高めるとアジャイルチーム全体で合意できる場合を除き基本的には受け入れ難いという点は合意をしておきます。そうしてプロジェクトを進めているうちに、最初のうちは報告を聞くだけだったステークホルダーが「自分もその場で意見を言いたい」と思ってくれればしめたものです。

開発チームも、一方的にフィードバックを受けるだけでなく、ステークホルダーの要望や意見を聞いて、ユーザーストーリーをより価値のあるものにするためのアイデアを思いついたら、どんどん提案しましょう。目的は、全員でプロダクトをより良くするために意見を出し合うことなのです。話し合いの結果を考慮してプロダクトオーナーは動く成果物のプロダクト品質を受け入れるか否かを判断し、ユーザーストーリーリストの見直しを行います。

4-9

ふりかえりの工夫でチームはより成長する

イテレーションは動く成果物をリリースして終わりではありません。自分たちの活動の良かったところ、改善した方が良かったところを全員で共有し、改善につなげる「ふりかえり」はチームの成長のためにとても重要です。

ヒント115 ふりかえりをやめてしまうとチームの成長も止まる

「ふりかえり」は、アジャイルマインドの「よりよい開発方法を見つけ出そうとしている」を表した、アジャイル型アプローチの特徴とも言えるイベントです。アジャイルチームの活動そのものに対する仕組みやプロセスの改善を目的としています。従来型開発の、設計、開発、テスト、といったフェーズごとに行われるふりかえりは、次のプロジェクトで別の誰かが活かすものであって、そのプロジェクトの改善には直接つながりにくいものです。対して、アジャイルのふりかえりは、自分たちのやったことを反省してすぐ後に自分たちで活かすためのものであり、チームを成長させ、プロダクトを良くすることに直結します。

ふりかえりは、人、関係、プロセス、ツールなど、アジャイルチーム自身のやり方全般が対象です。うまくいった項目、今後の改善が必要な項目を特定し、次のイテレーションで改善する項目を決めて、どのように変えるかの改善策を立案します。そのとき、あれもこれも改善しようと欲張りすぎず、確実に実行できる数だけに絞ります。最低1つ、できれば2つか3つあると良いでしょう。その代わり、次のイテレーションで確実に実行して、今より少しでもチームのやり方が改善されるようにします。

「忙しいから、今週のふりかえりは中止」にしてはいけません。そもそもふりかえりの時間も取れないほど忙しくなってしまうやり方や仕組みこそ改善する必要があるのですから、大いに見直しましょう。そして大事なのは反省するだけでなく、「改善するために何をどう変えるか」を具体的にして、実行することです。それを継続することで、チームは今よりも良くなり、成長するのです。ふりかえりを中止すればチームの成長も止まってしまいます。チームの成長が止まってしまっては、プロダクトの価値を継続的に高めていける可能性を狭めてしまいます。

ヒント 116 小さな声にこそチームに役立つ意見が隠れている場合が多い

改善点を的確に見つけるためには、全員が発言することが大切です。会議で発言できない人の多くは、自分より先に違う意見が出てしまうと、反対意見を言いにくかったり、思っていることがあっても「他の人が同じことを言っているから」「当たり前すぎていまさら言うことでもないから」と考え、口に出せなくなってしまっています。実は、皆が同じことを考えているのであれば、それを改善できればより多くの人に波及するので、チームとしては真っ先に改善すべきことなのです。そこで発言しないと、その最も有用な改善点を埋もれさせてしまいます。また、当たり前すぎると思っているのにもかかわらず改善できていないことがあるのであれば、それこそ改善の仕組みが働いていないことになります。それが見逃されれば、チームにとって大きな損失です。そうした人の意見をファシリテーターは見逃さないようにしましょう。

そのために有効なのが、普段はあまり発言しない人に、先に発言してもらう方法です。私たち自身にも、いつもベテランの発言を頷きながら聞いている新人の何気ない一言が本質をとらえていたり、黙々と仕事をしている人の「ここを改善すればもっと良くなるのに」といったつぶやきでチームメンバーが見逃していた課題に気づいた経験が数多くあり、声の大きな人の意見だけにならない工夫を意図的に行っています。

デイリーミーティング同様、ふりかえりでも心理的安全性がとても重要です。特にふりかえりは、成果物フィードバックの直後に行うので、気をつけないと「できなかったのは誰のせいなのか」という犯人探しの場になってしまい、ますます心理的安全性が低下しがちです。

心理的安全性を高めるためには、ファシリテーターの持ち回りや雑談など、4-4.「デイリーミーティングで変化を察知する」で紹介したような方法が有効です。私たちは、ふりかえりの冒頭に「このイテレーション期間中、仕事以外にどんなことがあった？」といった個人のストーリーをお題にした少し長めの雑談をよくやります。会議室にお菓子を持ち込んでそれをネタにする方法も雑談のきっかけとしてよく使います。雑談タイムでお互いの人となりを知ると、安心して発言がしやすくなります。

ヒント 117 ふりかえりはTryの負債に気をつけよう。1つで良いので確実に次のイテレーションで実行して初めて完結する

ふりかえりのときによく日本で使われる方法がKPT法です。Keep（うまくいったこと、そのまま続けること）、Problem（うまくいかなかったこと、今後は改善が必要なこと）を全員が付箋に書き出し、ホワイトボードに貼り付けます。このとき、内容が重複した付箋があっても全部貼り付けることで、「その意見がより多くの人から出てきた」ことを可視化できます。

その後、全員でKeepとProblemの内容について、「うまくいったことを継続するにはどうすれば良いか」「うまくいかなかったことを改善するにはどうすればいいか」を議論し、Try（どうやって解決・改善するのか）を書き出してみます。

しっかりと全員がKeepとProblemを書き出せば、当然、Tryの数は増えます。出てきた全てのTryを「解決すべき課題」ととらえて解決に取り組もうとしても、次のイテレーションで全部解決するのは難しく、積み残しができてしまいます。そして次のイテレーションのふりかえりではまた新たなTryが追加されるので、結果としてどんどん積み残しになるTryが増えてしまいます。私たちはこれを「Tryの負債」と呼んでいます。

Tryの負債が増えてくると、ふりかえりの時間が、累積したTryの負債をどこまで解消できたか、という議題に費やされるようになってしまいます。私たちが支援した事例の中にも、2時間のふりかえりの会議のうち1時間が、これまでに挙がったTryのうちどこまで潰せたかの確認に使われていた例があります。それでは十分に今回のイテレーションのふりかえり

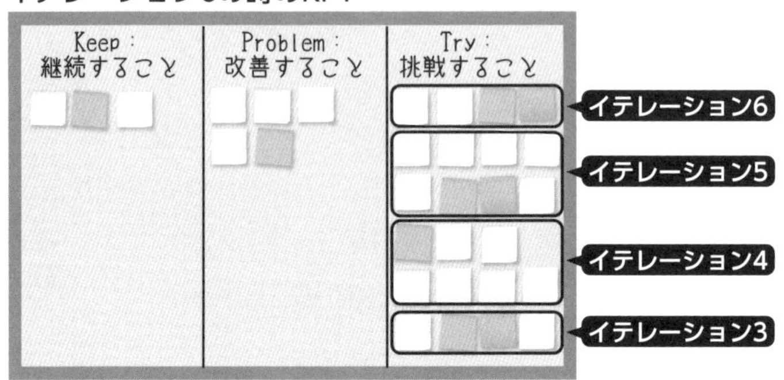

図4-16　Tryの負債

ができなくなり、「今起きている問題点」に的確に対処できなくなります。

Tryは「現状を少しでも良くするためのもの」であるのに対し、課題は「必ず解決しなければならないもの」です。この２つを混同してしまうと、Tryを課題管理表に入れてクローズするまで追いかけてしまい、その結果、Tryの負債が生まれてしまいます。Tryはあくまでもプラスアルファです。洗い出したTryを全てきれいに片づけようと欲張らず、１つでも２つでも確実に対策を実施して、少しずつでも改善を進めましょう。

ふりかえりの時間は、今回のイテレーションの改善点を見つけ、対策を考えるのに注力しましょう。着実に改善を進め、Tryの負債を生まないためのコツの１つが、ふりかえり時のアジェンダの順序の工夫です。従来型開発の進捗会議では、会議の冒頭に「前回の課題」の進捗確認をしがちです。これに対して、アジャイルでは、「Tryに対する改善行動のふりかえり」をする前に、まずは今回のイテレーションのKPTを洗い出します。改善行動の結果が出ていれば同じTryが挙がってこないはずですし、逆に、挙がってきたらそれは改善行動の結果が出ていなかったと判断できるので、なぜ結果が出なかったかを考えます。そして重要なのは、結果が出ていなかったとしても無条件で次のイテレーションに持ち越さないことです。次のイテレーションで改善するTryをどれにするかは今回のイテレーションのKPTから考えます。改善できなかったTryよりも、もっと有効なTryが新たに挙げられていたら、そちらを解決する方がチームの成長につながるからです。

Tryを洗い出した後はその中から最も有効なものを「次のイテレーションで解決するもの」として実行可能な数だけ選び、確実に解消しましょう。ふりかえりの時間は、今回のイテレーションの改善点を見つけ、対策を考えることに注力しましょう。

ヒント118 最初は個人レベルでOK。ふりかえりに慣れながらチーム全体レベルへ

アジャイルに取り組み始めたばかり、アジャイルチームが動き始めたばかりの段階では、チーム全体のKeepやProblemについて客観的に洗い出すのは難しいと感じる人が多いです。特に、お互いをあまりよく知らない状態でチーム全体のProblemを述べるのは、事実だとしても遠慮があったり、チーム全体への指摘なのにまるで誰かが責任を追及されているように感じたりと、心理的安全性が損なわれる状態になる可能性があります。

それを避けるためには、最初は個人レベルでの反省点と次のイテレーションでの課題の共有から始めましょう。一緒に働きお互いをよく知るようになり、お互いへの指摘も攻撃と感じず前向きにとらえられるようになれば、徐々にチーム全体の改善に向けたふりかえりへとつなげていきます。

ヒント119 KPTによる心理的安全性(Keep＜＜＜Problemとなったら危険信号)

KPT法は「良かったこと」「改善したいこと」を洗い出す、誰にでもわかりやすい方法です。体感では日本のアジャイル開発の９割ぐらいはふりかえりにKPT法を取り入れていると思います。この方法の良いところは、本来、Keepについては今までやってきて良かったことをさらに強化する行動を、Problemについては解消するための改善行動を取ることで、バランス良くチームを成長させられる点です。

ところが日本人の会議では、Problemにばかり注目しがちです。そうすると、ふりかえりが「前のイテレーションで悪いところはなかったか」という粗探しの場になってしまいます。そうなると会議の雰囲気も悪くなっ

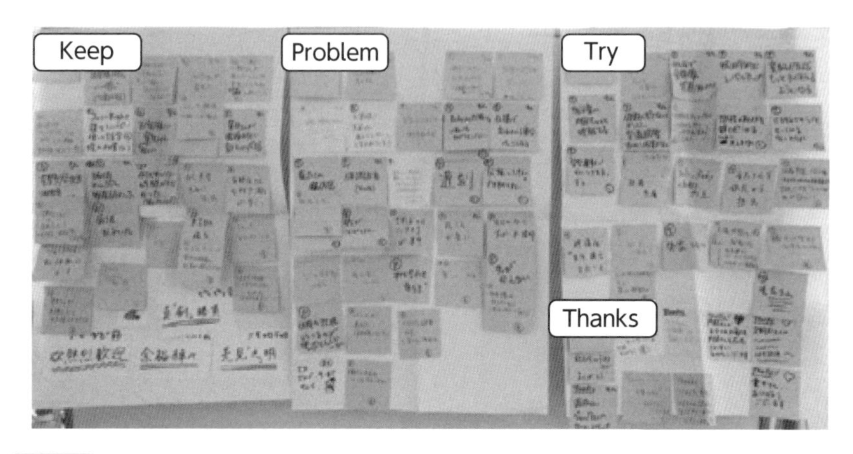

図4-17 KPTTの例

て発言が出にくくなるし、皆の気持ちが後ろ向きになってしまいます。

Keepに比べてProblemの数が多すぎると思ったら、テンプレートを変えてみるのがお勧めです。私たちはFDL（Fun：楽しかったこと、Done：完成させたこと、Learn：学んだこと）や、YWT（やったこと、わかったこと、次にやること）などをよく使います。「良かったこと」だけに注目して話し合って心のリハビリをした後、KPTに戻り、再び前向きな気持ちでふりかえりに臨めるようになります。

「ありがとう」という感謝の気持ちを形にするのも有効です。私たちが支援したプロジェクトで、ある人がKeepに「Aさんありがとう」と感謝の気持ちを書いたところ、次のふりかえりで皆がこぞって「ありがとう」をKeepに書くようになり、それだけでKeepが埋まってしまいました。そこで、別に「Thanks」エリアをテンプレートに追加してみたところ、褒め合うことで会議の雰囲気がとても良くなり、発言も出やすくなりました。日本では公の場で褒め合う文化があまりないのですが、Thanksを加えると褒め合いがしやすくなり、お互いにモチベーションを高め合えます。当然、同じようなことは先達がすでに見つけ出していて、最近のアジャイルの解説本では、ふりかえりのテンプレートに「KPTT」を紹介するものが増えています。

ヒント120 日本ではなぜ、ふりかえりはKPTが流行っているのか（他に方法はないのか）

日本でよく使われるKPTですが、海外のアジャイル開発ではそれほどメジャーなテンプレートではありません。海外のエンジニアはふりかえりをするときにネガティブなポイントに着目するのが苦手なようで、KPTを使ってもProblemがあまり洗い出せないのだそうです。それに比べると日本人は改善が好きで得意なので、改善の種になる「Problem」について考えるのに抵抗が薄いのかもしれません。

海外のアジャイル開発のふりかえりでよく使われるテンプレートとしては「Start, Stop, Continue」（始めること、やめること、続けること）、DAKI（Drop：やめること、Add：始めること、Keep：やり続けること、Improve：改善すべきこと）、「What went well?　What could have been better?　What will we do differently?」（うまくいったことは？　もっとうまくやれたことは？　やりかたをどう変える？）などがあります。

また、面白いのがSailboat Retrospective（帆船のふりかえり）です。まず、中央に帆船の絵を描きます。次に左右の一方に追い風の絵を描き、もう一方に島の絵を描きます。船の下には、錨と岩の絵を描きます。絵の中にあるそれぞれのエレメントには以下の意味があります。

図4-18　Sailboat Retrospective（帆船のふりかえり）

・帆船：アジャイルチーム自身
・追い風：チームにとってのチャンス、機会
・島：チームが到達したいゴール、ビジョン
・錨：チームがゴールに到達するまでの阻害要因
・岩：チームが気にしなくてはいけないリスク

チームメンバーは絵を描いた後、チームの現状を当てはめてコメントを書き込んでいきます。KPTとよく似ていますが、絵にすることでチームのムードやゴールまでの距離感などを視覚的に全員が共有できる効果があります。

ヒント 121 やめてしまったふりかえりを復活させた例

ふりかえりでよくあるのが、成果物フィードバックの終了後、プロダクトオーナーが退席してから開発チームだけで「ふりかえり」をする光景です。ふりかえりはチーム全体の改善のためのものですから、本来はプロダクトオーナーも含めてチーム全員で行うのが理想です。しかし、プロダクトオーナーをお客さま扱いしてしまっていると、改善点の話し合いで意見が出しにくいのかもしれません。それだけならまだしも、実際に私たちが支援した事例では、プロダクトオーナーと開発チームの間で対立が発生して信頼関係が損なわれ、意見が言い合える雰囲気ではなくなってしまい、ふりかえりそのものができなくなってしまっていた例がありました。

ふりかえりが全くできないと、アジャイルチームの成長が止まってしまいます。このときに、まず、開発チーム内だけでのふりかえりを再開し、開発チームの改善に向けた施策を行いました。その後、開発チームとして団結してプロダクトオーナーとコミュニケーションを取るようにしました。開発チームの良い変化が目に見えるようになると、プロダクトオーナーにも開発チームの話を受け入れる姿勢ができてきました。そうして徐々に信頼関係を回復させて、最終的に双方が歩み寄り、全体でのふりかえりを再開できました。

どうしても全員でのふりかえりができないときは、信頼関係のあるメンバーだけでも集まってふりかえりを続けましょう。そうして部分的な改善

を他のメンバーに見せて信頼の輪を広げ、全員でのふりかえりが実現できる関係を作っていきましょう。

4-10 プロダクトの価値をさらに高めるリファインメント

リファインメント（Refinement）は、日本語に訳すと「洗練」です。アジャイルにおけるリファインメントの役割は、プロジェクトを進めていく中で、ユーザーストーリーリストをより洗練する、すなわち磨き上げていくことです。プロダクトの価値を最大化するためにぜひ取り入れてほしいイベントですが、導入にはいくつかの注意が必要です。

ヒント 122 リファインメントにこそ開発チームの参加が必須

リファインメントでよくある誤解が、「リファインメントはプロダクトオーナーの役割」というものです。リファインメントの対象となるユーザーストーリーリストのオーナーはプロダクトオーナーなので、見直しや変更はプロダクトオーナーだけで行えば良いと、開発チームを入れずにリファインメントを実施してしまうケースがしばしばあります。しかし、ユーザーストーリーリストの見直しには、項目の追加や削除だけではなく実現可能性や見積を考慮した優先順位の精査も必要です。そのために、開発チームの参加は欠かせません。

過去に私たちが支援したお客さまでこんな事例がありました。

そのお客さまは、最初はプロダクトオーナー１人体制だったのですが、事業が大きくなり、途中からプロダクトオーナーチーム制を取るようになりました。ただ元からいたプロダクトオーナー以外のプロダクトオーナーたちはアジャイルに慣れ親しんでいなかったため、「リファインメント」の意味をよく理解しておらず、この会議を今まで慣れ親しんでいた「要件定義定例」と名づけてプロダクトオーナーチームだけで運用していました。

その意図は、プロダクトオーナーチームが「議論のために開発チームの手を止め、時間を使うのは申し訳ない」と考え、まずは要件を固めた上で決まったことを開発チームに伝えようと考えたからでした。決して開発チームをプロダクトオーナーよりも下に見ていたわけではなく、気遣いの結果でした。

一方、アジャイルに先に慣れ親しんでいた開発チーム側は、「プロダクトの価値を高めるためにはモノづくりだけではなくビジネス寄りの視点が必要」と考えていました。「開発チームはモノづくりに専念してもらうために、要件を決めるのは自分たちの役割」と考えたプロダクトオーナーチームとギャップが発生してしまったのです。

その結果、開発チーム側に、「プロダクトオーナーから決定事項を伝えられるだけで、そこに至った理由やこの先の見通しがわからない」ことに対する不安や不満が蓄積していきました。最終的には「プロダクトオーナーの言う通りにしていれば良いのだ」と考えてビジネス的な視点を持たなくなってしまい、プロダクトオーナーの言いなりになってしまいました。こうなると、リファインメントの責任はプロダクトオーナーだけが負うようになってしまい、プロダクトオーナーと開発チームが一緒に働く「協働」からは程遠い、上意下達の関係に知らず知らずのうちに変わっていってしまったのです。

この状況を改善するために、私たちは、まずは会議の名前を「プロダクトビジョン会議」に変えました。リファインメントによってユーザーストーリーを洗練していくのは、最終的にプロダクトのビジョンを見直し続けることにつながるからです。その上で、会議のメンバーには開発チームにも加わってもらうようにしました。

ユーザーストーリーリストの見直しには、ビジネス側のアイデアや要望を取り入れると同時に、それが技術的に実現可能なのか、実現可能だとして費用は数千万円かかるのか数十万円のレベルでできるのか、といったことを考慮する必要があります。

たとえば、ChatGPTなどの先進的な対話型AIの登場によって、従来は莫大な費用と時間がかかっていた「AIを利用した対話型UIの実装」は簡単にできるようになりました。ビジネスの変化やニーズをとらえているのはプロダクトオーナーですが、急速で、ときには不連続な技術の変化にキャッチアップしているのは、モノづくりのプロである開発チームです。こうした変化に気づいてユーザーストーリーと優先順位を見直すことは、プロダクト価値の最大化にはとても重要です。

開発チームにとっても、自分たちの開発したモノがプロダクトのどんな価値を実現するのかを知ることはモチベーション向上につながり、自分たちの貢献度も見えてきます。そのためにもリファインメントにはビジネスのプロであるプロダクトオーナーと、モノづくりのプロである開発チームが同席し、車の両輪のように一緒に動くことが大切です。

ヒント 123 リファインメントの役割はチームの成熟度によって変わる

アジャイルチームが立ち上がったばかりで、イテレーション計画、デイリーミーティング、成果物フィードバック、ふりかえりといったイベントのサイクルをこなしていくのが精一杯の状態では、リファインメントといっても何をやるのかピンとこないかもしれません。アジャイル開発技法の本に書かれているので「リファインメント」という会議を作ってはみたものの、最初のうちは従来型開発で慣れ親しんだ進捗報告と、進捗に合わせた予定の微調整や軌道修正のための会議になってしまうことが多くなるかもしれません。しかし、チームの成熟度によってリファインメントの役割を変えていけば、本来の役割である「プロダクトの価値を高める」ためのイベントへと成長させられます。

・成熟度　低：現在のイテレーション内で起きた軌道修正

チームを立ち上げたばかりの頃のリファインメントは、イテレーション計画と実績のずれを確認し、計画を修正するのを主な役割として始めてみましょう。その際に、なぜ計画にずれが生じたのかを確認していきましょう。

予定が狂う原因の多くは、タスクを実行するための調査に時間を取られて、想定していた通りにタスクが進まないことにあります。イテレーション計画の中に「次のイテレーションでやることの下調べをしておく」タスクを入れれば、見積の精度を上げて計画のずれを小さくできるというのが「スパイク」という考え方です（くわしくは次のヒント124で説明します）。スパイクをイテレーション計画の中に取り入れられるようになったら、リファインメントの役割を次の段階に進められます。

・成熟度　中：数イテレーション先までの段階的な詳細化

スパイクをイテレーション計画に取り入れるとは、「少し先のイテレーションでは何をしなくてはいけないか」を考え、合意し、そのための準備をすることです。準備の対象は、新しく取り入れるかもしれない技術について調べたり、必要な社内手続きを調べたり、経営層やステークホルダーに根回しをしたりとさまざまです。アジャイル型アプローチでは、遠い未来のことは不確定で予測できないから、やるかどうかもわからないことのためにムダな準備はしません。しかし数イテレーション先であれば、やることはほぼ確定していますから、そのための準備はムダにはなりません。

そうして「少し先」のことを考える習慣がアジャイルチームに根づいてくると、「いつ頃、何を実現するために、今何をすれば良いのか」という

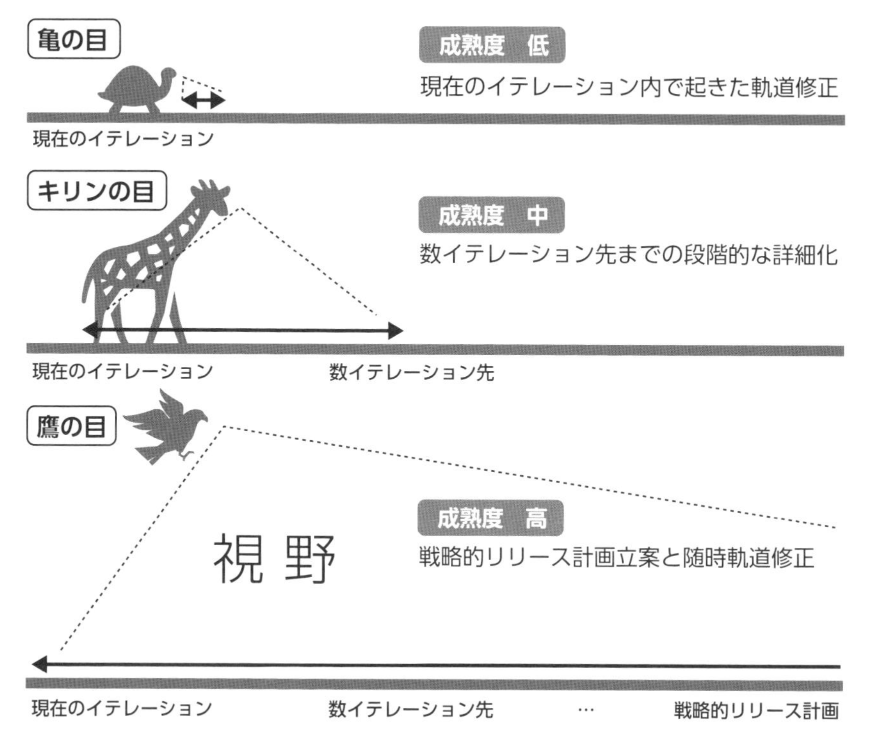

図4-19　リファインメントの成熟度の違い

視点でユーザーストーリーリストを見直し、計画を立てられるようになってきます。

・成熟度　高：戦略的リリース計画立案と随時軌道修正

「少し先」のフォーカスを半年先、1年先へと延長して考えられると、リファインメントの役割は「半年先、1年先のプロダクトの姿を想定して、今何をすれば良いのかを検討すること」になります。従来型アプローチの「1年先のプロダクトリリースに向けたスケジュール立案」と決定的に異なるのは、状況の変化に応じて随時ユーザーストーリーリストを見直し、場合によってはできあがるプロダクトの姿も変わると、アジャイルチームやステークホルダーを含めて全員が腹落ちしている点です。決定事項ではなくても「先のイメージ」を持つことで、アジャイルチーム自身が戦略的な発想を持ってリリース計画を立案できるようになるのです。これは、アジャイル型アプローチにおける全体計画に他なりません。

ヒント86～87で、アジャイル型アプローチには「イテレーション計画」と「全体計画」の2つの計画があり、「全体計画」は、「今のままイテレーションが進めばいつ頃何が実現できる」かの見通しを経営層やステークホルダーに示すものだと説明しました。しかしこの段階まで成熟してきたアジャイルチームにとっては、全体計画とユーザーストーリーリストはセットで戦略的に見直しが行われるものであると十分に腹落ちしている状態となっているはずです。リファインメントがそれを体現する場となります。

ヒント 124　スパイクの上手な使い方

スパイクはエクストリーム・プログラミング（XP）で提唱されたプラクティスで、見積を行うための情報を収集する作業を指します。たとえば、「次に実施するユーザーストーリーには新しい技術を取り入れたいが詳細がわからないので見積ができない」場合に、誰かが先に調べてチームに共有し、イテレーション計画時の見積精度を上げます。

具体的には、新しい技術を取り入れて実施したいユーザーストーリーに手をつける前のイテレーションで、スパイクそのものを1つのタスクとしてToDoリストに加えます。スパイクを担当した人は、調べた内容をアジャイルチーム全員に共有します。次のイテレーション計画時にはその知見を全員が共有しているので、何も知らないときに比べてより正確な見積が可能になります。

スパイクの目的は、「チーム全員がイテレーション計画において見積可能な状態になる」ことです。言い換えると、イテレーション計画時のモブ設計で全員のイメージを合わせるために「何ができてどんな特徴があるか」がわかれば必要十分であり、それ以上の調査は必要ありません。

よくある失敗が、スパイクを「技術調査」ととらえて、報告書の作成に時間を費やしてしまうことです。特に、プロジェクトの初期にスパイクが必要になったときには、ウォーターフォールで行う「技術調査」と同じ感覚でイテレーション１回分の時間を全てスパイクのために使ってしまいがちですが、技術調査報告書は「動く成果物」にはなりません。

スパイクを上手に活用するためには、「イテレーション内でスパイクに使うのは何時間まで」とタイムボックスを設けて、時間内に調べられたことをチーム内で共有するのが有効です。調べる内容も、次のイテレーションで実施したいユーザーストーリーに関わることだけに限定しましょう。スパイクの目的はその技術の理解ではなく、その技術を使ってユーザーストーリーが実施できるのか、実施する場合どのような手順で実施するのかを知るためです。

共有できた知識が不十分で見積ができないとしても、「スパイクの継続に後どのくらい時間をかければいいか」は見積もれます。その上で、さらに時間をかけて調べるか、調べてもムダだと判断して新しい技術の採用をやめるかは、全員で合意して次のイテレーション計画に反映すれば良いのです。

本格的にアジャイル開発を始める準備として、「イテレーション０」でスパイクを実施するのは良い方法ですが、その場合も必要以上に詳細に技術の全容を調べるのに注力しすぎないようにしましょう。あまり先のイテレーションを今から考えて調べても、実際にどの技術を使うかはそのときにならないとわかりません。あくまでも当面、イテレーション３から５ぐらいまでの見積に必要なことだけを調べるようにしましょう。

「イテレーションを実施するために、知らないことを見積できるレベルまで知る」のは全てスパイクの対象になります。たとえば社内ルールで必要な申請手順を調べたり、関連する法律や法令を調べるのも含まれます。iOSアプリをApp Storeで公開するための申請手順やつまずきやすいポイントを調べるのもスパイクで実施する場合があるでしょう。とはいえ、ソフトウェアの開発であればスパイクの対象になるのは、技術関連が多いです。ウォーターフォールでプロジェクトの最初に実施する「技術検証」とは違うと念頭に置き、調べること自体が目的化しないように気をつけましょう。

ヒント 125 リファインメントの結果はチーム内だけでなく、都度ステークホルダーにも共有しないと失敗する

アジャイルチーム全体でリファインメントに取り組み、ユーザーストーリーリストを常に見直せるようになれば、プロダクトの方向性や戦略を状況に合わせてより良く変えていけるようになります。そのとき注意しなくてはいけないのは、変えたことをアジャイルチーム外のステークホルダーにもタイムリーに共有することです。

リファインメントに参加しているアジャイルチームは、ユーザーストーリーリストの見直しによってプロダクトの方向性やゴールが変わったとしても、その理由を理解しています。しかし、アジャイルチーム外のステークホルダーにとっては、プロジェクトの開始時に合意したユーザーストーリーリストや全体計画が、自分たちの知らないところで変わってしまうことになります。タイムリーな共有が行われていないと、ある日突然「思っていたのとは違う」という声が出て、プロジェクトにストップがかかりかねません。

最近私たちの支援した老舗企業の例では、情報システム部門が業務改善のために、ノーコードツールを導入して社内業務の省力化を進めようとした事例がありました。情報システム部門でPoCを実施したところうまくいったので全社展開を図ろうとしました。ノーコードツールによる省力化で会社に貢献できるのだから、どんどん進めていいだろうと考えていたのです。ところが経営層の判断は「省力化によって仕事がなくなる社員の配置転換などの人員計画とセットでなくてはプロジェクトの開始は認めない」

というものでした。結局、人員計画ができるまでプロジェクトはいったん休止となってしまいました。

アジャイルチームの視点で良いと思って変えたことが、ステークホルダーの視点では新たな課題の発生につながる場合もあります。ユーザーストーリーリストがイテレーションごとに毎週少しずつ変わっていくのと、数カ月後に全く変わり果てたものが出てくるのとでは、ステークホルダーに与えるインパクトが違います。多くの場合、ステークホルダーは、アジャイルチームが起こす変化を逐次見て予兆を読み取り、それを考慮しながら全体最適化を行っています。アジャイルチームからこまめな報告がされないと、いきなり大きく状況が変わってしまい、全体最適化がとても難しくなります。加えて、ステークホルダーに「自分たちが知らないうちに勝手に変えられた」という思いを抱かせてしまっては、感情的にもこじれてしまい、プロジェクトの進行に支障をきたしかねません。

プロジェクトの全体計画をステークホルダーに共有するように、リファインメントの結果でユーザーストーリーリストがどう変わっているかはステークホルダーに都度共有するようにしましょう。

CHAPTER 5

Advance編 アジャイルを今より もっと良くするために

5-1

複数チームで1つのプロダクトを作る

最初は1つのアジャイルチームで開発していたプロダクトも、成長してくると、要望が増え、予算も増えて、1つのアジャイルチームでは対応するのが難しくなってきます。規模の大きいプロダクト開発をアジャイルで行う際には、複数のアジャイルチームで取り組むことになりますが、その際に気をつけることがいくつかあります。

ヒント 126 やってはいけないチーム分けの具体例

ありがちなのですが良くないのが、従来型開発のように機能別、サブシステム別などにチームを分けてしまうことです。過去に私たちが支援した事例を紹介しましょう。

そのお客さまは、サービスをウォーターフォールで自社開発していましたが、ビジネス状況の変化に対応するためアジャイルへの転換を図っていました。その際、従来のサブシステム別に分けていたチームをそのままアジャイルチームにスライドさせて複数チーム体制としていました。

その状態を整理したのが図5-1です。4つのサブシステムに対応して4つのアジャイルチームがあり、チームごとにサブシステムを実装するためのユーザーストーリーリストを作成していました。また、開発拠点が東京と東北の2カ所に分かれており、それぞれ別の協力会社が担当していたため、チームも会社別に分かれていました。

それぞれのチームが、個別にステークホルダーとバラバラに調整し、さらに、それぞれのチーム間で調整する仕組みもなく、結果的に同じ機能を別々に実装していたり、逆に「他のチームが作るだろう」とお見合い状態になって必要な機能を誰も作っていなかったこともありました。

それだけではなく、プロダクト開発の状況によっては、あるチームは忙しいがそれ以外のチームはやることがない時期があるなど、チームごとの業務負荷も著しくバランスが悪い状況でした。また、あるチームの作業が終わらないと別のチームが作業に着手できないため、ムダな待ち時間も発生していました。

さらに、この状況に悪影響を与えたのが、協力会社間の壁です。東北と東京という距離の壁だけではなく、各社の利権も絡んでお互いの技術情報を秘匿し合おうとしており、それがプロダクト開発のスピードを著しく損ねる原因にもなっていました。

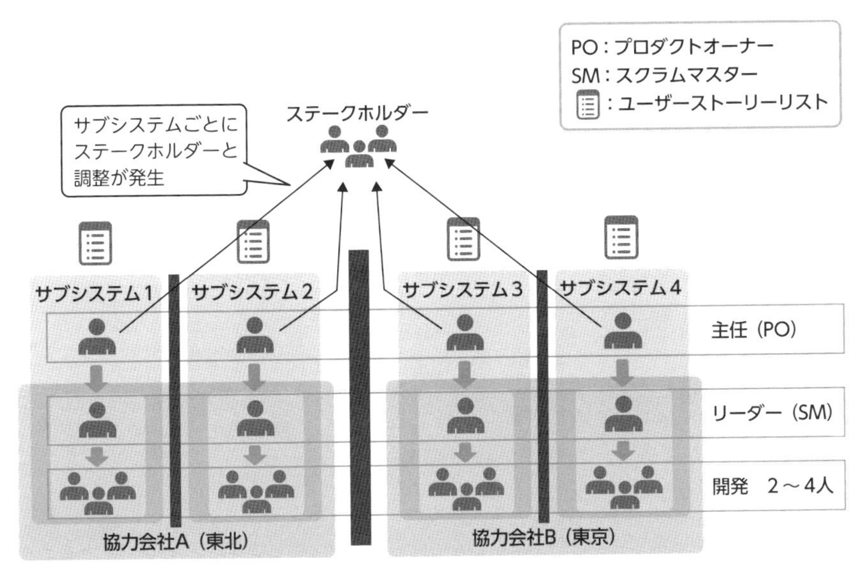

図5-1　複数チームで1つのプロダクトを作る（改善前）

この状態を改善するためにまず実施したのが、サブシステムごとに4つに分かれていたユーザーストーリーリストの統合でした。また、開発チームも、従来のサブシステムごと、会社ごとの分け方をやめて、大きく2つに再編し、各チームにチームプロダクトオーナーとチームスクラムマスターを配置しました。さらにそれぞれのチームのプロダクトオーナーの上には統括プロダクトオーナーを置き、チーム間の連携ができる体制を整えました。その上で、統合されたユーザーストーリーリストを、内容を考慮せずに優先順位の高いユーザーストーリーから２つのチームが交互に担当するようにしました。

ユーザーストーリーリストを一元化して優先順位をつけることで、プロダクトとして状況の変化に対応しながら機能を追加し、価値を増やしていけるようになりました。

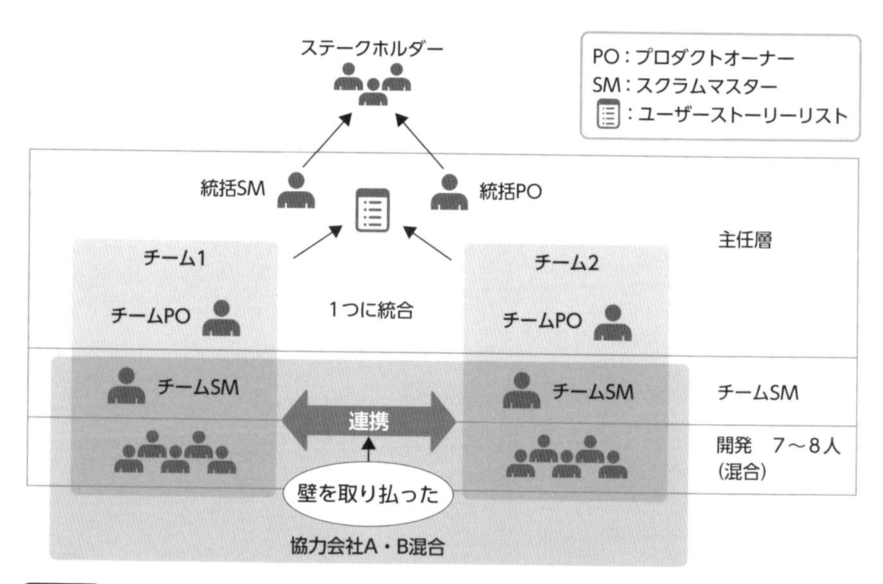

図5-2　複数チームで1つのプロダクトを作る（改善後）

整理した後で述べるのは簡単ですが、上記の改善はとても大変でした。まず、大きな体制変更になるので部門長やステークホルダーからの協力を取りつけるための説得に時間がかかりました。その後、協力会社間の壁を取り払うために、それぞれの協力会社の上層部に「技術は抱え込むよりお互いにシェアして共有する方が結果的に各社の利益につながる」ことを直接説得にも赴きました。その際に一番大事だったのは「各チームや各協力会社の利権争い」よりも１つのプロダクトを作っている協働の状態を作ることが結果的に全体利益につながるという考え方でした。

もう１つやってしまいがちなのが、たとえばソフトウェア開発でいえばフロントエンドチーム、バックエンドチームといったように、レイヤー別にチームを分けてしまうことです。しかし、利用者観点で書かれるべきユーザーストーリーはフロントエンドとバックエンドが合わさって初めて実現できるものであり、レイヤー別のチームではユーザーストーリーを実現できません。「画面のデザインはデザイナーに」「データベースはデータベースエンジニアに」と、専門家に効率良く動いてもらうことを第一に考えると、こうしたチーム分けをやってしまいがちです。

たとえば「ウェブフォームからキーワードを入力してデータベースを検索し、結果を表示する」ユーザーストーリーを、フロントエンドチームとバックエンドチームに分けて実装するため、図5-3のように担当を分けたとしましょう。

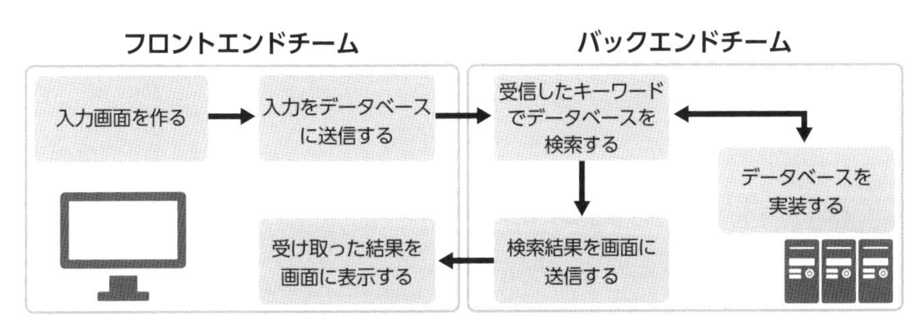

図5-3 ユーザーストーリーを、フロントエンドチームとバックエンドチームに分けて実装

図を見ればわかる通り、それぞれのチームは、ユーザーストーリーを分解したタスクを分担して実施します。つまり、チームの中でユーザーストーリーを完結できません。ここでたとえば、情報源にしていたデータの変更によりデータベースの仕様が変わってしまったら、フロントエンドチームはバックエンドチームの作業が終わるまで何もできなくなり、ムダが発生します。

サブシステム別にせよレイヤー別にせよ、あるいは別の分け方にせよ、チームに色がついた瞬間うまくいかなくなります。1つのプロダクトを複数のアジャイルチームで作るのであれば、1つのユーザーストーリーリストを全チームが共有し、全チームが分け隔てなく同じようにユーザーストーリーを実施できるようにすることが肝要です。

ヒント 127 成果物フィードバックとふりかえりは合同で

複数チームで1つのプロダクトを作るときは、アジャイルイベントを開催する方法も工夫する必要があります。

イテレーション計画については、30分から1時間程度の会議で、全員でユーザーストーリーリストを確認し、実施するユーザーストーリーごとに担当チームを決めた後、チームごとにイテレーション計画を作成し、その後、全チームのチームプロダクトオーナーとチームスクラムマスターが集まり、再度全体の計画を共有します。なので、複数チームの場合、ワンチームの場合よりもイテレーション計画にかける時間は多くなるので、その

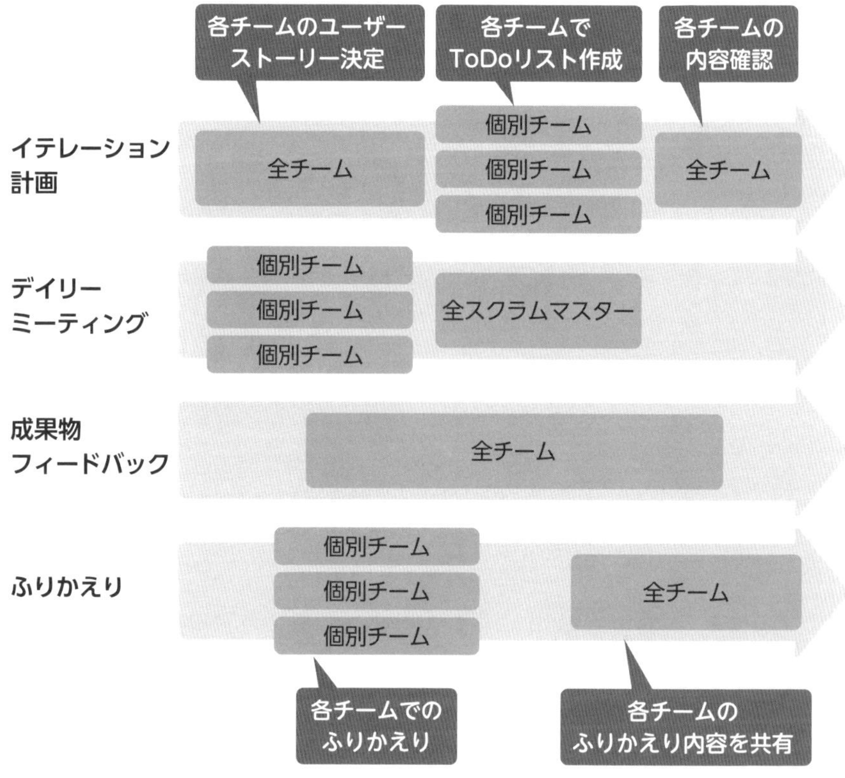

図5-4 複数チームでアジャイルを行う場合のアジャイルイベント

ことを織り込んでおきましょう。

デイリーミーティングはチームごとに行い、チームごとのミーティング終了後に全スクラムマスターが集まってそれぞれのチームの状況を共有し、必要に応じて調整を行います。

成果物フィードバックでは、最新の成果物が何なのかを、全員が知っている必要があります。確実に全員が情報を共有するためには、多少時間がかかったとしても全員で結果を確認する方が早く、間違いがありません。

ふりかえりについても、イテレーションで得られた知見やTryを全員が共有すれば、Aチームの失敗や学びをBチームでも活かせます。1つのチームで行うのに比べて、何倍もの速さで経験値をためていけるのです。とはいえ、複数チームが1カ所に集まって一度に話をするのでは、人数が多すぎて全員が発言できなくなります。そのため、「チームごとのふりかえり」をし、その後に全員が参加する「チームごとのふりかえり」の共有会に時間を取る工夫が効果的です。

プロジェクトが大規模になってチームの数が増えてきたら、デイリーミーティング時のスクラムマスターのミーティングをさらに階層化して情報共有を迅速にします。先に紹介したSaabの戦闘機開発の例では、5階層のスクラムマスターミーティングによって、チームごとのデイリーミーティングの終了から1時間15分以内でトップマネジメントに全アジャイルチームの情報が集約される体制が作られていました。

ここまでにご紹介した複数チームの運用方法は、LeSS（Large-Scale Scrum）やSAFe®（Scaled Agile Framework®）などを参考にしながら、私たちが個別のプロダクトに合わせて組み上げた一例です。もちろん細部ではプロダクトごとに異なる部分はありますし、もっと大きなプロダクトの場合はさらに工夫が必要でしょう。全く同じ方法がいつも通じているわけではありませんが、いくつかの事例を経て組み上げた実践例です。皆さんもこれを参考に自分たちのプロダクトに合わせて工夫していただければと思います。

ヒント 128 専門家も開発チームと一緒にイベント参加

特にソフトウェア開発のプロジェクトでは、デザイナーが専門家として参加する場合があります。従来型開発では、デザイナーの役割は画面の色や部品の形などの「デザイン」を決めること、開発チームの役割は「デザイン」通りに実装することと、明確な分業が行われていました。多くの場合は機能を実装したモックを開発チームが作った後にデザイナーがデザインを作成し、開発チームがその通りの画面を作成するというプロセスでプロダクト開発を進めていました。そのため、機能的に動作するものがあってもデザインを待たなくてはリリースできず、さらにデザイン通りの画面を、機能を損なわずに作るのに時間がかかる状態になっていました。逆にデザイナーが先に画面イメージをデザインし、それに合わせて開発チームが機能を構築するパターンもありますが、その場合、デザイン段階で見た目を優先して技術的な難易度への考慮が足りないことも多く、実装に時間と費用がかかることもしばしばありました。

これらの問題を解消するため、私たちが支援するアジャイルチームでは、デザイナーも開発チームの一員として、イテレーション計画、成果物フィードバック、ふりかえりといったイベントに参加してもらうようにお願いしています。デザイナーもイベントに参加してユーザーストーリーリストへの理解を深め、開発チームとともに設計し、お互いにフィードバックし合うことで、実装がしやすく、かつプロダクトの価値を高めるデザインを発想できるようになります。一部分を切り出して依頼し、結果を開発チームに取り込むのではなく、最初から一緒にやることで、お互いを理解しながらより良いものを楽に作れます。

ここではデザイナーを例として挙げましたが、プロダクト開発にはデータベースの専門家、クラウドの専門家、マイクロサービスの専門家など、さまざまな専門家の手を借りることがあります。その場合も、モノづくりの一部分だけを専門家に依頼し、その結果を開発チームに戻して実装するのは大変です。専門家を長期間拘束するため、さらに費用がかかる場合もありますが、それを支払ってでも開発チームの一員としてイベントに参加してもらい、一緒にモノづくりを進める方が、結果的にプロダクトの価値を早く実現できる場合が多いのではないかと思います。

ヒント129 小さなプロダクトは「まとめてワンチーム」で

ここまでは、大きなプロダクトを複数チームで作る場合について説明してきましたが、プロダクトの中には逆に規模が小さく、1～2人程度で開発できるものもあります。そんなときには、少人数のチームをたくさん作るよりも、複数の小さなプロダクトをまとめてワンチームで作ることも考えてみてはいかがでしょうか。

「まとめてワンチーム」のユーザーストーリーリストは、複数のプロダクトのユーザーストーリーリストを統合したものです。ユーザーストーリーの優先順位付けは複数のプロダクトをまたいで行うことになりますので、プロダクトごとに存在するステークホルダー間の調整が必要になります。その役割を担うのは、プロキシプロダクトオーナーです。複数のプロダクトオーナーの仕事が1人のプロキシプロダクトオーナーに求められるので、難易度がとても高いのですが、そこさえクリアできれば、アジャイルチームの動きとしては1つのプロダクトを開発するときとそれほど変わりはありません。実際に、私たちが支援した中には、この難しい複数プロダクトのプロキシプロダクトオーナーという難しいチャレンジに成功し、「まとめてワンチーム」を実践した事例もありました。

「まとめてワンチーム」にするメリットは、開発チームのリソースが有効活用できることです。プロダクトの壁をなくして、その時点での優先順位の高いプロダクトに多くのリソースを柔軟に割り当てられるようになるので、チームメンバーの作業量が平準化され、全体として実施できるユーザーストーリーの数が増えます。チームメンバーが増え、チーム全体で使える知識や経験が増えるのもメリットです。経験不足なメンバーがいても、チームメンバーに教わりながらタスクを実施することで経験を積み、スキルの底上げができます。さらに、チームの人数が増えれば、体調不良や家庭の事情などの突発的な状況の変化に対しても、チームでカバーしやすくなります。

情報システム部門などでは、業務改善のための小さなプロダクト開発が複数並行で走っているケースは決して珍しくありません。アジャイル型アプローチに慣れてきたら、「まとめてワンチーム」を検討してみてください。

5-2 開発と保守運用を同じチームで行う(DevOps)

ソフトウェア開発の分野には、開発と保守運用を同じチームで行うDevOpsという考え方があります。DevOpsの核となる「継続的な改善」と「継続的なデリバリー」はアジャイルと共通するものであり、DevOpsとアジャイルには密接な関連があります。

ヒント 130 プロダクトマネジメントを実現するためのDevOps

従来のモノづくりでは、リリースされたプロダクトは保守運用マニュアルとともに開発チームから保守運用チームに引き渡されます。保守運用チームはドキュメントを見ながらプロダクトを運用し、保守運用しているうちに出てくる軽微な不具合の修正や要望に応じた小規模な改修を担当する「保守開発」を行ってきました。このやり方の背後には、プロダクト開発をリリースまでの期限付きのプロジェクトとして管理する「プロジェクトマネジメント」の考え方があります。開発と保守運用は別のプロジェクトなので、チームも別にするのが当然だったのです。この考え方がベースにあるため、追加開発や3次開発などは都度、開発プロジェクトを立ち上げて、半年や数年をかけてバージョンアップを繰り返しながらも、最初に立ち上げた保守運用チームが継続して面倒を見る形態が多くありました。

これに対して、元々のDevOpsの発想は、「何か問題が起きたときには中身をよく知っている人が解決するのが早い。それはプロダクトを作った開発チームなのだから、開発も運用も保守も開発チームでやればいい」というシンプルなものでした。しかし、開発プロジェクトと保守運用プロジェクトが別物とされてきた従来のやり方では、「保守運用のために開発チームを維持する」のは現実的ではありませんでした。ところが、これがアジャイル型アプローチにはうまくマッチするのです。

アジャイル型アプローチでは、プロダクトの価値を最大化するためにユーザーストーリーリストを作り、優先順位をつけて順番に実施していくことで、動く成果物を成長させていきます。いったんプロダクトをリリースしたとしても、ユーザーストーリーリストを継続して見直して実施することでプロダクトは改善され、成長していきます。この進め方は、最初に全ての機能を詰め込むのではなく、必要なものを少しずつ足して、プロダクトが使われている限り改善を続ける「プロダクトマネジメント」につながります。

プロダクトマネジメントを実施するためには、ユーザーストーリーリストを実施する開発チームが必要です。プロダクトが存在する限り、開発チームも存在し続けるので、従来型開発の時に障害となっていた「保守運用のために開発チームを維持する困難」が解決できます。それだけではなく、追加開発や３次開発のために新たに開発チームを立ち上げる必要もなくなります。

実際に、ユーザーストーリーリストの優先順位に沿ってイテレーションごとに計画を立てて実行するアジャイルの進め方は、開発と保守運用を融合させやすい仕組みです。保守運用業務もタスクにまで落とし込んで優先順位をつければ、開発業務と区別がなくなるからです。アジャイル型アプローチによるプロダクトマネジメントを実現するために、DevOpsの考え方を取り入れるのはとても有効です。

ヒント 131 開発と保守運用のバランスの取り方

開発と保守運用を１つのアジャイルチームで行う場合の課題が、バランスをどう取るかです。保守運用には必ず突発作業がついて回り、なおかつトラブルの発生など優先順位を上げて対応する必要がある場合は少なくありません。だからといって、いつも突発作業に開発のタスクが押し出されてしまうようでは、開発と保守運用の両立は困難になってしまいます。

うまく両立させるためには、計画時点で保守運用にかける時間をきちんと確保した上で、残りの時間で開発の計画を立てることです。その際には、定常的な運用にかかる時間と、突発的な保守作業に必要な時間を分けて考えます。開発チームの成熟度にもよりますが、熟達して品質をきちんと担保できるチームであれば、経験的に週の時間のうち20%ぐらいを定常運用に、10%を突発作業にあてて計画を立てるとうまくいく場合が多かったです。たとえば1週間の作業時間を40時間とすれば、週のうち8時間程度を定常運用に、4～5時間程度を突発的な保守作業にあてます。もしこれ以上の時間がかかるなら、大規模リファインメントを行うなど、元のプロダクトの品質を上げる抜本対策を考えましょう。

イテレーション計画では、これらの時間を除いた残りの時間で実施できるだけのユーザーストーリー分の計画を立てます。その際に、次のイテレーションで行う予定の優先順位の高いユーザーストーリーのToDoリストも同時に作ります。その上で、突発作業が発生したときのコミットラインと、しなかったときのコミットラインを決めておきます。言い換えれば、「今週何もなければ、ユーザーストーリーがもう1つ、2つ追加で実施できる」という計画をあらかじめ立てることです。逆に突発作業が想定よりも多かったときは、本当にこのイテレーション期間中に完了しなくてはいけないかをよく検討した上で、必要であればイテレーションの途中でもコミットラインを変更して対応します。その際にはヒント53で示したユーザーストーリー分割の方法が役に立つはずです。

イテレーションによって突発作業の量には増減がありますので、計画に対するユーザーストーリーの実施数も、多くできることもあれば少し足りないこともあります。ある程度の期間をならしてみて、だいたい計画通りに進められていればバランスは取れていると言えます。いつも時間が足りなくて計画通りにユーザーストーリーを実施できなかったり、逆にいつも計画よりも進みすぎてしまうようであれば、イテレーション計画立案時の開発と保守運用に配分するバランスをこまめに見直しましょう。

ヒント 132 従来型保守運用チームにアジャイルを導入して働き方改革を実現

従来型の保守運用チームは、複数のプロダクトの運用や保守開発を担当することが多いです。一見、開発と運用を1つのチームで行っているDevOpsのようにも見えますが、多くの場合はユーザーの要望を何でも受け止め実施する「何でも屋」化してしまい、さまざまな問題が発生しています。

私たちの支援した例では、グループ会社全体のシステムの改修と保守運用を一緒にやっている部門が、個別の対応に追われて疲弊してしまい、本来取り組むべき全体の課題に取り組めないという問題を抱えていました。部門長は、人による業務量の偏りを是正し、働き方改革を行いたいと望んでいました。

その部署では、クラウドインフラの保守運用や負荷状態に応じたロードバランサーなどの調整に加えて、20以上もあるサブシステムの運用に合わせて画面の改修などの小規模な開発を行っていました。ワンストップで開発も運用も引き受けるものの、実際には開発と保守運用がシームレスではなく、クラウドの運用はAさん、サブシステム①の改修はBさん、サブシステム②の改修はCさん、といった属人化が発生していました。

その結果、人による業務量の偏りが発生して一部の人だけ残業が大幅に増えたり、ユーザー部門からの要望がBさんやCさんなどの担当者に直接メールなどで届くようになり、残タスクがどれだけあるのかを誰も把握できない状態が発生していました。グループ全体のシステム改修やスケールアップに取り組もうとしても、メンバーがバラバラに受けた依頼をこなすだけで仕事があふれてしまっていたのです。この状態を改善して、開発と保守運用をシームレスに行うDevOpsを実現するために、私たちはアジャイルの考え方を取り入れました

まず支援したのが、チーム全体の要件リストの棚卸しとユーザーストーリーリスト化です。未実施の要件について、いつ、誰からの要望だったかを整理した上で、内容が同じ要件はまとめる、一定期間以上塩漬けになっていたものは原則として取り下げてもらうといった作業を1カ月以上かけて地道に行い、「今、対応が必要な要件」をユーザーストーリーリストとして全員が一覧できるようにしました。その上で、要件実施の順番の決め方を変えました。今までは担当者個人宛に来た依頼に対し、依頼者の声の大きさや部門間の力関係に応じて、頼まれた人自身が要件を実施する順番を決めていたのですが、一覧化した要件の優先順位を会社全体にとっての重要性に基づいて部門長が決めるように変えたのです。ユーザーストーリ

ーリストの優先順位の見直しは、週次で行うようにしました。
同時に、週次のレビューによるナレッジの蓄積と共有を始めました。この1週間で何をやったのかを全員が発表して、「誰が何をしていて、どんな知識やノウハウが得られたのか」を共有しました。すると、「BさんとCさんは対象にしているサーバーが違うだけで実は同じことをやっている」とわかり、Bさんの作業が多すぎて困っているときはCさんが手伝うという動きがチーム内でできるようになってきました。
毎週行うタスクも、担当者ごとにどれをやるのか決めるのではなく、優先順位の高いものから順に、チームで実施して評価するようにやり方を変えました。週次で行うナレッジ蓄積・共有により、わからないことを誰に聞けば良いかがわかるようになりましたし、作業の結果は個人の成果ではなくチームの成果として評価するようになり、教え合い、助け合いが生まれやすくなりました。その結果、これまで問題となっていた属人化が解消し、個人の仕事ではなくチームの仕事という意識で全員が取り組めるようになりました。
ここまで来れば、働き方改革まで後一歩です。ユーザーストーリーリストを用いて、週次のイテレーション計画で優先順位の高い要件から詳細化

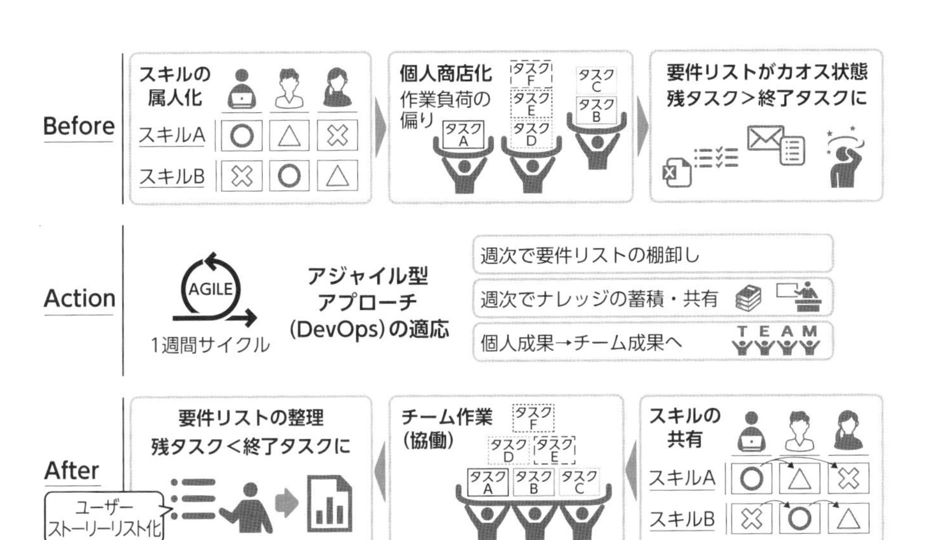

図5-5 従来型保守運用チームにアジャイルを導入して働き方改革を実現

してToDoリストを作成し、チームで対応するアジャイル型アプローチの手法を取りました。残業が発生しないように作業量をコントロールしながらも、チームのタスクとして協働できるようになったことで、以前よりもこなせるタスクの総量は増え、残タスクの積み残しもなくなりました。毎週寄せられる追加の要件もユーザーストーリーリストとして管理して、重要なものから順に終わらせられるようになったのです。

この例では、自社システムの保守運用を行うチームにアジャイルを導入してDevOpsを実現しました。DevOpsはソフトウェア開発や運用の文脈で語られることが多いですが、実はプロダクト開発に限らず、「何かを作りながらメンテナンスする」という組織の活動をうまく動かすために、効果的な考え方です。

5-3

アジャイルと契約

プロダクトオーナーも開発チームも自社の社員だけで構成する完全内製プロジェクトでない限り、アジャイル開発には必ず契約が伴います。アジャイルの教科書には「アジャイルの契約は従来の開発プロジェクトのような請負契約ではなく、準委任契約で行うことが基本」と書かれています。その理由を理解すれば、発注者も受注者も安心してアジャイル開発に取り組めます。

ヒント133 なぜアジャイルの契約は「準委任が基本」と言われているのか

「準委任契約」との比較対象に挙げられる「請負契約」は、受注者がある仕事の完成を約束し、発注者がその対価として報酬を支払うことを約束する契約です。成果物を完成させる責任は受注者にあり、対価は完成した成果物に対して支払われます。したがって、契約時に「何を作るか」について双方が明確に合意することがとても重要です。

従来型開発のプロジェクトであれば、「何を作るか」を要件定義書で記述し、その通りに完成させることで対価を受け取る請負契約が可能です。

対して、アジャイル開発では、たとえ要件定義書が最初にあったとしても、その通りに全てを実装するかどうかはプロジェクトを進めながら決めていきます。それなのに、アジャイル開発を請負契約で実施してしまうと、進めていくうちに不要な機能が見つかったとしても、不要だからと、作るのをやめてしまえば要件定義書通りの成果物ではないという理由で契約違反になります。プロジェクトを進めながら何を作るかを考え、実装するアジャイル開発に、あらかじめ「何を作るか」を合意する必要がある請負契約は向かないのです。一方で、準委任契約では成果物の完成責任は発注者にあります。受注者に求められるのは、一定の期間とリソースを善管注意義務（常識的、社会的に考えて通常期待されるような注意を払う義務）を持って発注者に提供することであり、契約したリソースの範囲で発注者に最大の価値を提供することです。この形の契約の方が、アジャイル開発には向いています。

発注者の立場になると、「成果物完成責任を受注者が負わない準委任契約は一方的に発注者に不利なのではないか」と疑問を抱くかもしれません。しかしここで考慮すべきは、「プロダクト開発の目的は、プロダクトによってビジネス上の価値を得ること」であることです。初めに決めた要件定義書の通りに完成することで確実にビジネス上の価値を得られるのであれば、ウォーターフォール型アプローチを選択して請負契約を締結すれば良いですが、価値を得るための試行錯誤や変化への対応が必要なのであれば、準委任契約でアジャイル型アプローチを取る方が向いています。準委任契約で進めるアジャイル開発では、発注者と受注者は密接に協力してプロジェクトを進めます。検討の結果、何をどのように実装するかは発注者にも全てわかるように透明化されているので、発注者が一方的に損をすることにはなりません。むしろ、自分たちのビジネスの変化に対応した変更の受け入れが担保されている点で、変化に強く有利な契約であるとも言えます。

IPAや情報処理学会では、準委任契約をベースにしたアジャイル開発のモデル契約を公表しています。たとえばIPAのモデル契約書（https://www.ipa.go.jp/digital/model/ug65p90000001ldr-att/000081484.pdf）には、契約の前にプロジェクトをアジャイルで進める準備ができていることを発注者と受注者がお互い確認するための「契約前チェックリスト」（図5-6）と、実際の進め方について意識合わせをするための「アジャイル開発進め方の指針」が添付されています。

IPAのモデル契約書が、どちらかといえば受注者側となるSIer向けなのに対して、情報処理学会の公開しているモデル契約書（https://www.ipsj.or.jp/sig/lip/LIPagileRevisedPublicVersion20220304clean.pdf）は、アジャイル開発を外部委託するユーザー企業の視点で作成されており、「目的」としてアジャイルソフトウェア開発宣言に則り開発を行うことを掲げて、アジャイルチームにおけるロールやイベントについても契約書の中で定義しています。こうしたモデル契約を活用すれば、アジャイル開発を進めや

項目	チェックポイント
1. プロジェクトの目的・ゴール	プロジェクトの目的（少なくとも当面のゴール）が明確であるか
	ステークホルダーの範囲が明確になっているか
	目的についてステークホルダーと認識が共有されているか
2. プロダクトのビジョン	開発対象プロダクトのビジョン（あるべき姿・方向性）が明確であるか
	プロダクトのビジョンについてステークホルダーと認識が共有されているか
3. アジャイル開発に関する理解	プロジェクトの関係者（スクラムチーム構成員及びステークホルダー）がアジャイル開発の価値観を理解しているか
	プロジェクトの関係者がスクラムを理解しているか
4. 開発対象	開発対象プロダクトがアジャイル開発に適しているか
	1チーム（最大で10名程度）の継続的対応にて、開発可能な規模であるか
5. 初期計画	プロジェクトの初期計画が立案されているか
	プロジェクトの基礎設計が行われているか
	完了基準、品質基準が明確になっているか
	十分な初期バックログがあるか（関係者間で初期のスコープの範囲が合意できているか）
6. 本契約に関する理解	本契約が準委任契約であることを理解しているか
7. 体制（共通）	ユーザ企業とベンダ企業の役割分担を理解しているか
	今回のプロジェクトにおける体制を理解しているか
8. ユーザの体制	適切なプロダクトオーナーを選任し、権限委譲ができるか
	ユーザ企業としてプロダクトオーナーへの協力ができるか
9. ベンダの体制	アジャイル開発の経験を有するスクラムマスターが選任できるか
	必要な能力を有する開発チームを構成できるか
	開発チームを固定できるか

出典：https://www.ipa.go.jp/digital/model/ug65p90000001ldr-att/000081485.xlsx

図5-6 IPAのモデル契約書の「契約前チェックリスト」から抜粋

すい契約の締結が可能になります。

ヒント134 アジャイルにおける契約の工夫。日本でも個別契約が優先されることを活用しよう

アジャイルには準委任契約が適しているとわかっていても、伝統的な日本企業では、開発プロジェクトに準委任契約は認めないケースもまだまだあります。そんなときに活用したいのが、提供役務と検収条件を逐一定め

た個別契約の締結です。

私たちも過去に、個別契約に救われたことがあります。アジャイルコーチとして開発チームの支援を依頼されたときのことです。発注元企業の専務が窓口となって契約を締結し、成果物フィードバックごとに専務によって受け入れを承認していただきながら開発を進めていきました。しかしながら、同社の社長が「成果物フィードバック時に会社として受け入れようとも、発注時に要望した仕様の一部がその通りに実装されていないので報酬を支払う理由がない」と言い出して裁判になったのです。

そのときに締結していた個別契約の契約書には、今回のプロジェクトはポイント制で行い、契約書に明記したポイント以内の作業を実施すること、成果物フィードバックでの受け入れによって報酬が確定することを記載していました。結果的にこの件では、プロジェクトの履歴として個別契約書に記載されている倍以上のポイントの作業を実施していること、成果物フィードバックで都度会社として受け入れていた事実が証明できたので、こちらが全面的に勝訴できました（実際には判決の前に先方から示談を申し入れてきました）。

発注時に提示された仕様書や発注書しかない場合、そこに書かれていない項目については、民法の規定が適用されますが、個別契約を締結していれば個別契約書の文言が優先されます。

会社のルールで準委任契約が締結できなくても、個別契約を利用すればアジャイルを諦める必要はないのです。先に紹介した情報処理学会の公開しているモデル契約書は、アジャイル開発の個別契約書のひな型としても使いやすい形になっています。

ヒント 135 受発注の関係が対等であれば、アジャイルは偽装請負にはならない（厚労省が見解を発表）

アジャイル開発を外部委託するときによく言われるのが、発注者と受注者が１つのアジャイルチームで働くことが「偽装請負」と指摘される可能性です。偽装請負とは、労働者派遣以外の名目で契約（業務委託契約等）を締結しているにもかかわらず、発注者が雇用関係にない労働者に対して指揮命令を行うことで、実態として労働者派遣の提供を行っていることを指します。

アジャイルチームの会議は発注者と受注者が一緒に参加して、1つのチームとして実施しましょう、と先に述べました。これに対して、「混合チームでの会議で仕事を進めると指示命令系統が曖昧になり偽装請負と見なされるのではないか」と心配する声をよく聞きます。またこれを避けるために、プロダクトオーナーと開発チームが直接コミュニケーションを取らないようにしたり、会社ごとに作業場所を分けたりといった措置が取られて、アジャイルチームがうまく機能しない例も見受けられます。

この点については、厚生労働省が2021年9月に「『労働者派遣事業と請負により行われる事業との区分に関する基準』(37号告示)に関する疑義応答集」という文書を公表しています。この中では、アジャイル開発については、「実態として、発注者側と受注者側の開発関係者(発注者側の開発責任者と発注者側及び受注者側の開発担当者を含みます。以下同じ。)が対等な関係の下で協働し、受注者側の開発担当者が自律的に判断して開発業務を行っていると認められる場合には、受注者が自己の雇用する労働者に対する業務の遂行に関する指示その他の管理を自ら行い、また、請け負った業務を自己の業務として契約の相手方から独立して処理しているものとして、適正な請負等と言えます」とされています。つまり、発注者と受注者、プロダクトオーナーと開発チームが対等な関係で意見を述べ合えるよう、正しくアジャイルチームが運営されていれば、偽装請負には当たらないと明示されています。スクラムマスターやアジャイルコーチは協力会社やステークホルダーに対し、アジャイルの原則や法解釈について正しく説明し、アジャイルチームを正しく運営できるように理解を求めましょう。

5-4

アジャイルの理想と現実解

理想的なアジャイルを実施したい。けれど、理想は一足飛びに実現できるものではありません。むしろ、理想に近づくための現実解を取った方が良いこともあります。そんな理想と現実解を５つのヒントで紹介します。

ヒント 136 リリースイテレーションの功罪

アジャイル開発では、動く成果物をイテレーションごとにプロダクトとしてリリースして、少しずつ成長させることを目指します。ですが、従来型の開発に馴染んできた人は、短期間にプロダクトをリリースする感覚になかなか慣れることができません。また、会社のルールが従来型開発を前提としており、社内規則でプロダクトリリース前には外部機関によるセキュリティテストが必要とか、パフォーマンステストとして同時接続数を増やしたテストを実施する必要がある、月１回のリリース判定会議を通す必要があるなどといった理由で、１週間から２週間程度のイテレーションごとにプロダクトをリリースできないことは多々あります。

そんなときでもアジャイル開発を実践するために、セキュリティテスト

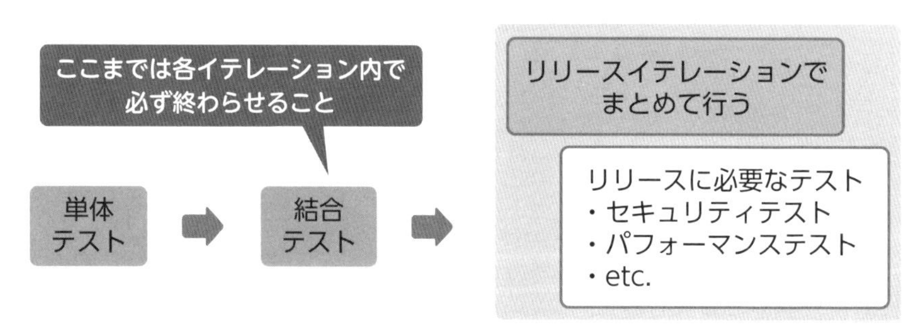

図5-7 リリースイテレーションの考え方

やリリース判定会議などリリースに必要なテストや手続きをまとめて実施する「リリースイテレーション」を設けるという方法があります。

私たちが支援した事例では、会社のリリースルールもあるので、イテレーションごとにリリースできそうにないため、アジャイルの導入に踏み切れていない例がありました。この状況を打開し、アジャイル開発を導入するため、このリリースイテレーションの考え方を提案しました。

最初の頃は、3カ月に1回プロダクトのリリースを行うと決めました。2カ月間は通常のアジャイル開発として、1週間のイテレーションごとに結合テストを行い動く成果物を作りました。そして残りの1カ月をリリースイテレーションにあて、最新の動く成果物をリリースするための外部セキュリティテストや運用試験、社内リリース判定会議などの手続きを実施しました。このペースで1年ほどプロジェクトを動かし、アジャイル型アプローチでは、ウォーターフォールで起こるような「開発が終わったのにテストが終わらなくてリリースができない」苦労をしなくて済むと実感してもらいました。

その後、リリースイテレーションをなるべくなくすように、自動テストを取り入れ、開発やリリースのためのテストにかける時間を減らしていきました。やがて3週間のイテレーション＋1週間のリリースイテレーションで1カ月に1回のプロダクトをリリースできるようになりました。

さらにチームが成熟し、リリースのためのテストや手続きは2日程度で終えられるようになり、プロダクトをリリースするイテレーションであっても開発を進められるようになりました。そこまで来ると、「リリースイテレーション」を設ける必要はなくなります。アジャイルチームがプロダクトをリリースしたいと考えたタイミングでイテレーション計画にリリースのためのタスクを加えることで、計画的にプロダクトのリリース時期をコントロールできるようになりました。最終的にこのチームは、ユーザーの求める価値をタイムリーに届けられるようになり、アジャイル開発のメリットを実感できました。

金融機関や大手SIerなど従来型アプローチによる大規模開発の経験が豊富な会社ほど、品質管理のための社内ルールがきちんと決められており、変えられないことが多いです。しかしそのためにイテレーションごとのリ

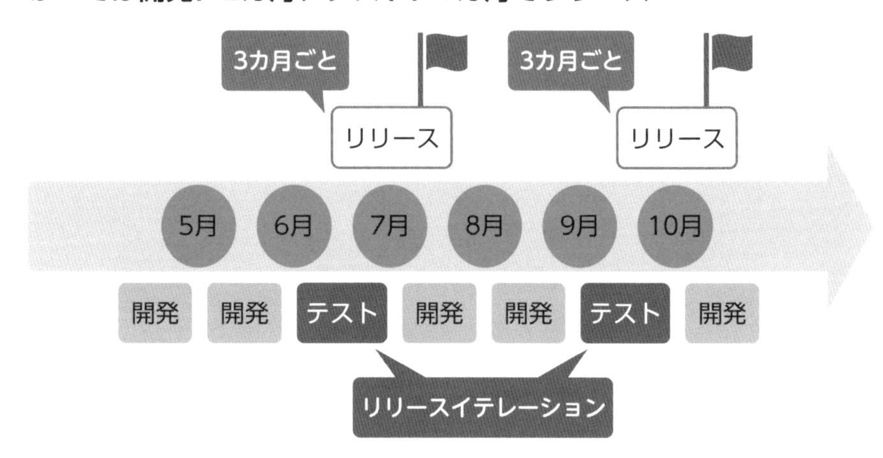

図5-8　リリースイテレーションの発展的解消

リースができないとアジャイルを諦めるよりも、リリースイテレーションという折衷案を導入してでもアジャイルのメリットを実感してほしいと思います。いくつかのプロダクト開発でリリースイテレーションを実施すれば、運用テストや外部セキュリティテストなどで引っかかりやすいところが見えてきて、品質の水準を保ったままでリリース時のテストを簡略化する勘所が見えてきます。そうなったら、社内ルールの見直しを提案して、リリースイテレーションのない本来のアジャイル開発の姿、すなわちイテレーションごとに動く成果物をリリースできる状態を目指しましょう。

ヒント 137 ベロシティは安定を目指すのか増加を目指すのか

ベロシティとは、そのイテレーションでアジャイルチームが実施できる総ポイント数です。見積時に使用するポイントは、あるタスクに対して3ポイントや5ポイントといったポイント数を割り当て、これから実施しようとしているタスクがその何倍ぐらいのパフォーマンスを必要とするかを相対見積します。イテレーションで実施するタスクのポイント数を全て足した数字がベロシティです。

アジャイルチームが立ち上がったばかりのときと、ある程度時間が経過してチームが習熟してきたときでは、同じ成果（得られた価値）に対して必要なパフォーマンス（時間や難易度を考慮した総合的な大変さ）は違います。

たとえば最初のイテレーションの見積で、Aというタスクの成果を出すのに必要なパフォーマンスに「5ポイント」を割り当てたとします。イテレーションを重ねるにつれてアジャイルチームは成長しパフォーマンスが向上しますので、イテレーション10の頃には同じような成果となるタスクを最初よりも容易に完了できるようになっているはずです。このとき、ポイントの基準をインプットに当たる「パフォーマンス」に置くのか、アウトプットに当たる「成果」に置くかで、ベロシティの数字の推移が変わってきます。

ポイントの基準を「パフォーマンス」に置いた場合、イテレーション10の頃のアジャイルチームがAのタスクを実施するのには5ポイントもいらないことになります。つまり、イテレーション10と最初のイテレーションを比べると、アジャイルチームは5ポイント分のパフォーマンスでできるタスク量が増えることになります。ベロシティはイテレーションで実施できるポイントの総数なので、ベロシティの値は最初のイテレーションと大きく変わることはありませんが、その中で実施できるタスクの量が増えます（図5-9参照）。

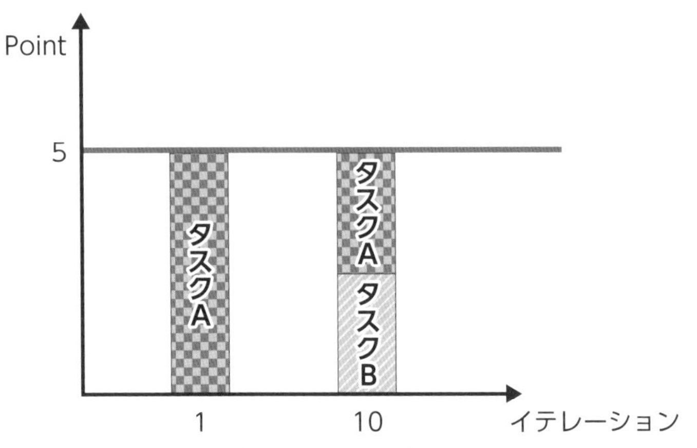

図5-9 ベロシティの基準を「パフォーマンス」に置く場合→ベロシティは一定

一方で、ポイントの基準を「成果」に置いた場合、イテレーション10と最初のイテレーションを比べると、アジャイルチームのパフォーマンスが向上しているのでより多くの成果を出すことができます。つまり、ポイントの基準が成果の場合、同じパフォーマンスでより多くの成果（ポイント）を実施できるようになるので、ベロシティの値も増えます（図5-10参照)。

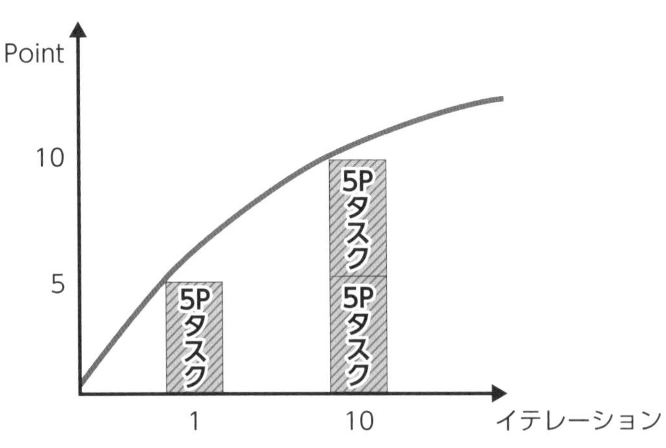

図5-10 ベロシティの基準を「成果」に置く場合 → ベロシティは上昇する

前者の、パフォーマンスを基準として算出するベロシティの値は、チームの成熟度が上がってもほぼ一定となります。対して、後者の成果を基準として算出するベロシティの値は、チームの成熟度が上がると徐々に増えていきます。このように基準をどちらにするかによってベロシティの値の推移は異なりますが、どちらの基準を選んでも本質的な違いはありません。どちらでも「次のイテレーションで自分たちがどのくらいの作業をこなせるのかを見積もる」というベロシティの役割は果たせるからです。

アジャイルチームが立ち上がったばかりの頃は、チームの成長がベロシティの増加として数字でわかり経営層にも報告しやすいという理由で、成果を基準にしたベロシティを採用しがちです。しかし半年から1年も経てば、チームが成熟して同じパフォーマンスで実施できるポイントの量は安定し、ベロシティの増加も徐々に緩やかになってきます。そうなったときに「チームの成長速度が止まった」と誤解を招かないためには、あらかじめ経営層に「チームが成長したらベロシティの増加は緩やかになる」と理解してもらうか、もしくは最初からパフォーマンスを基準として算出する、常に安定した数値となるベロシティを採用する必要があります。

また、イテレーションが進むとタスクの粒度を見直す必要が出てきます。チームの成熟度が上がって実施できるタスクの数が増えると、1つのタスクを完了するのにかかる時間がより短くなります。あまり短くなりすぎると、実装している時間よりもチケットを作ったり成果物にマージするための作業を実施している時間の方が長くなり非効率です。

だからこそヒント59でも述べた通り、1つのタスクは半日から1日程度で実施できる大きさにしておくのが良いのです。チームの成長に合わせてタスクの切り方は変え、1つのタスクの実施にかかる時間が「半日〜1日程度」になるように見直しましょう。

ヒント 138 アジャイルとKPI。スクラムマスターの腕の見せ所

アジャイル開発でもKPI（重要業績評価指標）を測定するのは重要ですが、その際に忘れてはいけないのが、「他のチームと比べない」ことです。ヒント84でベロシティの値を他のチームと比較することには意味がないと

述べましたが、ベロシティ以外のKPIについても全て同様です。

KPIの測定が必要な理由は、今のプロジェクトの状況を適切に把握し、改善できているかを明らかにするためです。当然、測定すべき対象は課題によって異なってきます。KPIを測るときには、自分たちの課題に対して何を測ればよいのかを常に考える必要があります。PMBOK® 第7版の「測定パフォーマンス領域」でも、パフォーマンス測定の対象について、「プロジェクトごとに適した測定をすることが大切である」としています。パフォーマンスを把握するための測定の対象、パラメーター、測定の方法は、プロジェクトの目的、目指す成果、プロジェクトが実行される環境によって異なるので、一概にこれさえ測れば良いという普遍的なものはありません。

たとえば、チーム全体の残業時間が多すぎる状況があったとします。その場合、チームの改善状況を測るKPIとして、チーム全体の残業時間を調べるのは１つの方法です。残業が増える原因を調べるために、誰が残業してどれだけタスクを実施しているかを調べてみたところ、タスクの属人化が発生していて特定の人にタスクが集中しているとわかったとします。その場合、タスクが偏らないよう、その人の知見を共有するための勉強会を実施して全員がタスクを分担するという改善方法が考えられます。そして、タスクが分担できて、全員がほぼ定時で上がれるようになれば、もうこのKPIは測定する必要がなくなります。

私たちが支援した例では、プロジェクトの初期に「タスクの分割が上手にできず、イテレーション途中でタスクがどんどん増えてしまう」悩みを抱えたチームがありました。イテレーション計画でToDoリストを作成してもタスクが増えるので、いつまでたってもバーンダウンチャートが下降に転じない状況になっていました。イテレーションの途中でタスクが増える理由としては、優先度の高い不具合への対応、お客さまからの要望、イテレーション計画時の考慮不足などが考えられます。状況を改善するためには「なぜ増えるのか」を明らかにすることから始めようと考えました。まず、増えたタスクについて理由別に分けて数を測定しました。その結果、増えたタスクで最も多かったのはイテレーション計画時の考慮不足によるものであり、不具合対応やお客さまの要望の占める割合はほぼ一定でしかも小さいとわかりました。傾向が判明したので、増えたタスクの総数だけを追いかけることにして、イテレーション計画の時間を増やしてモブ設計をもっと念入りに行うことで、タスク分割の精度を上げていきました。その結果、タスクの増加を徐々に減らして、イテレーション計画通りにバーンダウンチャートを終えられるようになりました。課題が解決できたので、増えたタスク数の測定は終了しました。

ウォーターフォールでは、KPIを定めたら最後まで測定し続けてプロジェクトのパフォーマンスを測定しますが、アジャイル型アプローチでは、そのときどきに必要な指標をKPIとして測定します。不要な測定を続けると、パフォーマンス指標を良く見せるために、優先順位を無視して簡単な順にタスクを実施するようになっては本末転倒です。測ってみて、問題が解決すれば、測り続ける必要はないのです。仮に、もし同じ状況がぶり返すようなことがあれば、そのときにまた測定を開始すれば良いのです。

そのときどきのチームをよくするために何をKPIとして測定すればいいのかを考えるのは、主にスクラムマスターの役割です。チームがどんなことで困っているのかをよく見て測定する指標を決めましょう。そして、測定しても意味がなくなれば、その指標の測定はやめても良いのです。

一度決めたKPIを測り続けることだけが価値を生むとは限りません。必要なときに必要な分だけKPIを測定し、チームの改善点を見出していくところが、スクラムマスターの腕の見せ所です。

ヒント139 何に焦点を当てて効率良く進めるのか（リソース効率とフロー効率）

プロダクトの開発の「効率」を考えるには、「リソース効率」と「フロー効率」の２つの視点があります。プロダクト開発におけるリソース効率は、「プロダクト開発に使える資源（人など）が発揮するパフォーマンス」の効率で、それぞれのリソースが遊びなく最適なタスクを実施するほどリソース効率は高くなります。たとえば、専門家には得意なことだけを集中して行ってもらうように工夫するイメージです。一方、プロダクト開発におけるフロー効率とは、「プロダクト価値を届けるためのリードタイム」の効率であり、短いほどフロー効率は高くなります。

この２つが両立できれば最高ですが、なかなかそうはいきません。たとえば部品工場で、ある部品を作るために、「板に穴を開ける」工程の後に「旋盤で削る」工程があったとします。穴を開ける工程の方が単純なので工数は半分で済みます。この作業を２人でやるとしましょう。

リソース効率を最大にしようとすると、穴開けと旋盤を分担して、それぞれが最大効率で作業を行います。すると、後工程である旋盤作業の方が時間がかかるので、完成する部品は結局旋盤作業の速さでしかできあがりません。旋盤作業の手前で、仕掛かりの穴の開いた板は在庫となります。人も機械もフルに稼働しているのですが、作業途中の時点では、穴開け作業の半分はしなくてもいいムダな作業になっています。

対して、フロー効率を最大にするためには、それぞれの作業者が「板に穴を開け、旋盤で削る」作業をします。穴開けに使う工具や旋盤は２つ必要になりますし、なおかつ機械が遊んでいる時間はありますが、全体として見れば単位時間内にできあがる部品の数は増え、仕掛かりの在庫も出ません。これをつきつめたのがトヨタ生産方式（TPS）です。機械の値段は減価償却できるが人はそうではないと考え、機械が遊んでいる時間が発生しても、人が多能工として働くことで工程ごとの完成品を早く届け、在庫のムダをなくすことを優先します。

TPSを編み出した考え方を抽象化して、フロー効率最大化を図るためにムダをそぎ落とす「リーン」という考え方が生まれました。アジャイルにも、このリーンの考え方が取り込まれています。

ウォーターフォールでは、要件定義、設計、製造、テストを、フェーズごとに専門家が実施します。それぞれ得意な人が担当するので、人のリソース効率は高くなります。しかし、後ろのフェーズは前のフェーズの完了を待たなくては着手できず、かつ全てのフェーズが完了するまではリリースできないため、価値を提供できるまでの時間が長くかかります。一方で、アジャイルでは、チーム全員で優先順位の高いユーザーストーリーから要件定義、設計、製造、テストを実施し、最短で動く成果物をリリースします。すなわち、ユーザーに価値を提供するまでの時間が短く、フロー効率が高くなるのです。

リソース効率とフロー効率は異なる概念です。状況がクリアで設計通りのものを作ることで最大の価値が得られることが明確な、つまりウォーターフォールが適した状況であれば、多くの場合、リソース効率とフロー効率は一致します。しかし、アジャイルが向いている、先が見えない状況であれば、プロダクト価値を1つずつ完成させフロー効率を高めていく方が、プロダクト価値の最大化につながるのではないかと思います。

ヒント 140 守破離の誤用。型破りではなく形なしになってしまわないためにはどうすれば良いか

「守破離」とは、武道や芸事の修練の過程で目指すべき「既存の型を忠実に守る」「他の流派の型などから良いものを取り入れ型を破る」「既存の型と自分の考えた型の両方をバランス良く理解することで既存の型から離れる」の3段階を指しています。「守破離」の考え方は、アジャイルの「より良い方法を見つけようとし続ける」ことで常に改善を続けるアジャイルと相性が良いです。

特に日本人でアジャイルについて語る人は「基本的な考え方を身につけた上で他者のやり方を取り入れてそれを破り、そこからも離れて自らのやり方を見つける」ことの表現として「守破離」という表現を頻繁に使います。一方で、この「守破離」を誤って解釈して、基本の型を守ることよりも、他の方法を自己流で取り入れたアレンジを加えて「破」「離」へと早くステップアップすることがアジャイルだと勘違いしている人たちも見受けられます。

歌舞伎俳優の十八代目中村勘三郎は、初めてニューヨークのリンカーンセンターで歌舞伎を上演したり平成中村座を立ち上げたりとさまざまな新しいことに挑戦した、型破りな俳優として有名です。彼の名言として「型をしっかり覚えた後に、初めて"型破り"になれる。型がないままやるのは、ただの形なし」という言葉が知られていますが、これは伝統芸能だけでなくどんなことにも通じる言葉です。アジャイルも然りで、基本の型ができてから型を破るからこそ「型破り」が生きてくるのであって、型ができないままではただの「形なし」です。

たとえばサイズの合わない洋服を着たいと思ったときに、自分の体型を服に合わせて変える努力をしないでサイズ直しに頼っては、服のシルエッ

トは崩れて、文字通りの「形なし」になってしまいます。日本企業でパッケージソフトを業務に導入するときによくあるケースで、パッケージに業務を合わせようとせずに自社の業務に合わせたカスタマイズを重ね、パッケージソフトの機能を十分に発揮できなかったり、バージョンアップに追随できなくなってしまうのも「形なし」の１つの例と言えるでしょう。

そのまま合わせるのが苦しくても型を覚え、なぜそうなったのかを理解する「守」があってこそ、その先の「破」が「型破り」となれるのです。形なしのアジャイルにならないためには、まずしっかりと型通りにやってみる、「守」をやりきることが大切です。

だからといって、アジャイルの基本の型として「スクラムガイド」を絶対視して守ることだけが正しいかというと、それも違います。内容と趣旨を理解して合わせる努力は必要ですが、「スクラムガイドに書いてあるから」と思考停止してしまうのは、アジャイルマインドには合いません。まずはなるべく型に合わせるように自分たちのチームを変える努力をした上で、どうしても変えられないときには、型の趣旨目的を崩さずにどこまで変えられるかを考えて自分たちにできることと折り合いをつけましょう。ちょっとやってみて「自分たちには難しそうだから」というだけの理由で変えたり、切り捨てたりするのは「形なし」につながります。

アジャイルで「形なし」を起こしがちなポイントの１つが、イテレーション計画通りにタスクが終わらなかったときの扱いです。本来の「型」では、どうしても間に合わなかったユーザーストーリーは、次は同じ轍を踏まないように、なぜ終わらなかったのか十分に反省した上で、次のイテレーション計画に組み込みます。ところが、「アジャイルだからイテレーション計画の通りに終わらないのは仕方ない、終わらないものは次のイテレーションでやればいい」としてしまうと、これは「形なし」です。もう１つ例を挙げると、バーンダウンチャートは完了したタスクを数えていくのが「型」です。なのに、進捗が目に見えないからと「８割終わったタスクは数える」「仕掛かりのタスクは50%として数える」などとやってしまっては、これは「形なし」です。タスクを完了できずに進捗が見えないのが問題なのであれば、見えるようにタスクをもっと細かく切り直すのが「型」に沿ったやり方です。

どうしても自分たちに合わない「型」があったとき、これを変えても良いのかどうかを判断するためには、自分たちが変えようとしていることが「アジャイル宣言の背後にある原則」を守れているか、もしくは守ろうとしているかを判断基準にしましょう。「書いてある通りにできないからこれはなかったことにしよう」はよくありません。精神論になりますが、「なぜそうなのか」に思いを巡らせ尊重していれば、最終的な方向を誤ることはないでしょう。

5-5

外部の専門家の力を借りる

アジャイルに興味を持ち、導入に取り組もうとしても、従来型開発に慣れた人たちほど違いに戸惑い、苦労が多いと思います。そんなときに役立つのが、外部の専門家の力を借りることです。私たちの会社でも、アジャイルを導入する皆さんへのさまざまなサポートを提供しています。

ヒント141 アジャイルコーチは何をしてくれるのか

ここまでの説明でも外部の専門家として何度か登場したアジャイルコーチは、一言で言えば「アジャイルチームを育てる専門家」です。チームに伴走して必要な支援を提供し、アジャイルマニフェストを理解して自分たちで考え続けられるアジャイルチームに育てます。

アジャイル未経験のチームに対しては、アジャイルチーム内のロール、ユーザーストーリーリストの作り方、計画の立て方、イベントの運営のためのアジャイルプラクティスなどをスポーツコーチのように教えます。

一方で、アジャイル経験のあるチームに対しては、チームが現在抱える問題について、相談に乗り、一緒に考える形でライフコーチとしてチームの改善をサポートします。相談の内容は、プロダクトオーナーと開発チームの対立をどう解消するか、協力会社間の壁をどう壊し１つのチームにするか、ふりかえりによる改善を効果的に行うにはどうするか、イテレーション計画通りに成果物がリリースできないがどうすればよいか、重要なメンバーがチームから抜けてしまうことになったときにどうすれば影響を少なくできるか、新しいメンバーをどう教育するか、など多岐にわたります。チームがうまく機能していない場合はその原因を探り、必要なアドバイスを提供します。また、特にアジャイル導入時には、経営層をはじめとするチーム外のステークホルダーに対し、アジャイル型アプローチの理解浸透を図ることが重要になります。こうした役割もアジャイルコーチは担うことができます。

図5-11は、アジャイルチームの成長をタックマンモデル（組織の成長の段階を形成期、混乱期、統一期、機能期、散会期の5段階で表すモデル）で表したときのアジャイルコーチの支援の例です。チームの形成期にはアジャイルの基礎となる考え方やプラクティスを教えるのが主な支援です。混乱期になると、アジャイルチームを前向きに動かすために、イベントの支援やナレッジ共有などチームの状況に応じた支援を行います。チーム内で役割やコミュニケーションがスムーズに取れる統一期になれば、自らチームを改善するためのストレッチ目標を立て実行できるようにするとともに、その後の機能期でチームの自立やアジャイルコーチからの卒業を目指すために、本格的なスクラムマスターの育成を支援します。

アジャイルコーチのゴールは、チームがコーチングを卒業してアジャイルチームとして自走できるようになることです。私たちのコーチングでは、卒業までの期間は半年から1年程度をめどに置いています。逆に、いつまでも同じチームにコーチがつかなくてはいけないようでは、チームを成長

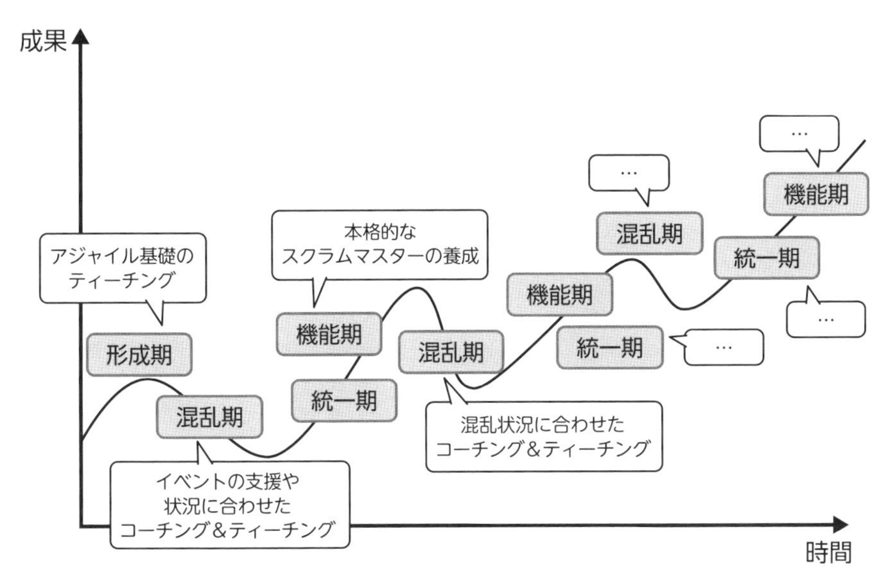

図5-11 タックマンモデルとアジャイルコーチのサポート

させられていないわけですから、コーチングが効果を出せていないのではないかと考える必要が出てきます。

とはいえ、アジャイルチームでは改善の過程で、再び混乱期に戻るなど、何度も成長の過程を繰り返します。そのため、アジャイルコーチによるサポートを長く薄く受けられるようにしておくことも効果的です。

ヒント142 ACoEの導入と活用

ACoE（Agile Center of Excellence）は、PMBOK®第７版で登場したアジャイル向けPMOのようなものです。アジャイルコーチがアジャイルチームを支援する人あるいはチームであるのに対し、ACoEはプロジェクトを横断して企業全体や部門へのアジャイル導入・定着を支援する常設型の組織です。

具体的には、組織内のアジャイルのナレッジや知見を集約し、新しいアジャイルプロジェクトの立ち上げ支援やアジャイルコーチの派遣、教育などを提供します。さらに、集めた知見をアジャイルプロセスの改善に活かすための支援を行います。

最初のステップとしてワンチームでのアジャイルの導入に成功して、さらにその先の部門内や組織内にスケールするステップへと進めたい場合には、ACoEの導入を検討する価値があります。自社内だけで立ち上げるのは難しい場合が多く、アジャイルの専門家の支援が必要です。まだ新しい概念なので、私たちも支援の事例はそれほど多くありませんが、組織へのアジャイル導入を支援するコンサルティングメニューの１つとしてこれから注力していきたいと考えています。

ヒント143 アジャイルスタートアップガイドラインという考え方

ヒント８で、これからアジャイルに取り組む組織がいきなり「アジャイル標準」を作ろうとしてもうまくいかないという話をしました。そもそも「標準」は組織内の過去の経験や知見を集めた組織文化の結晶であり、自分たちで積み上げていくことが大切です。アジャイルでも同様で、他所か

アジャイルスタートアップガイドライン

アジャイル導入における…

参考文書

手順書

「最初はここから始めてみては？」
という意味合いを持つ

図5-12 アジャイルスタートアップガイドラインの考え方

ら借りてきたテンプレート的な標準をあてはめようとしてもうまくいきません。とはいえ、経験がない段階から自分たちで全てを調べて、新しい取り組みであるアジャイルのやり方をゼロから構築するのは大変です。なので、まずは行動指針となる「アジャイルスタートアップガイドライン」を作ることから始めてみましょう。その後、ガイドラインに沿った実践で得られた教訓を反映して「アジャイルスタートアップガイドライン」をアッ

図5-13 アジャイルスタートアップガイドラインの導入の流れ

プデートしていけば、「自分たちのアジャイル標準」に育てていけます。
アジャイル開発のスタートアップガイドラインは、IPAが公開している「アジャイル開発の進め方（https://www.ipa.go.jp/jinzai/skill-standard/plus-it-ui/itssplus/ps6vr7000000 1i7c-att/000065606.pdf）」や、内閣官房が公開している「アジャイル開発実践ガイドブック」（https://cio.go.jp/sites/default/files/uploads/documents/Agile-kaihatsu-jissen-guide_20210330.pdf）を参考にできますが、自社の経験や組織文化をもとにしたものにする方が望ましいです。
私たちが提供するアジャイルスタートアップガイドライン作成支援では、お客さまの組織文化や経験をもとにガイドラインの内容を協議し、それに合ったアジャイルスタートアップガイドラインを作成します。ガイドラインをもとにお客さまの組織内でアジャイルを推進し、その体験を継続的にガイドラインにフィードバックすれば、お客さまの組織にカスタマイズされたアジャイル標準を構築できます。
実際の例では、先にアジャイルコーチとしてアジャイルチーム立ち上げを支援し、コーチングを卒業された後にノウハウを集めたアジャイルスタートアップガイドラインを作成したことがあります。社内の他部署でアジャイルチームを立ち上げるときにはそのガイドラインを参考にして実行したいと依頼を受け、別途アジャイルコーチの依頼をいただきました。その後、そのアジャイルチームがある程度の成果を上げた半年後に、その新しく得た知見をガイドラインにフィードバックして更新する形で、ガイドラインの継続的な更新を実施しました。

ヒント 144 アジャイル研修の上手な活用術

一口に「アジャイル研修」といっても対象者によって必要とする内容は異なります。私たちが提供しているアジャイルトレーニングでは、これからアジャイルを始める方向けの「基礎研修コース」と、すでにアジャイルを実践している方向けの「応用研修コース」に大きく分けてコースを設定しています。前者は「アジャイルってどうやればいいの」を学ぶもの、後者は「アジャイルを進めていくうちにつまずくこと、困ること」を解決す

レベル	スタイル	時間
基礎	いまさら聞けないアジャイルの実際〜最新動向とともに〜	2時間
基礎	いまさら聞けないウォーターフォール〜アジャイルネイティブでも分かるウォーターフォールの勘所〜	6時間
基礎	PMBOK®第7版の大転換とアジャイル 〜プロセス重視から原則重視へ〜	1.5時間
基礎	PMBOK®第7版　基礎研修　〜大転換の意図と全体概要〜	2.5時間
基礎	アジャイルマインドとアジャイルの実践基礎	8時間(終日)
応用	マネジメント視点でみたプロダクトオーナーのお仕事	8時間(終日)
応用	マネジメント視点でみたスクラムマスターのお仕事	8時間(終日)
応用	マネジメント視点でみた開発チームのお仕事	8時間(終日)
応用	アジャイルでも使えるモダン開発技法	4時間
応用	PMBOK®第7版　詳細解説研修　〜テーラリング編〜	3.5時間

図5-14 私たちが提供しているアジャイル研修

るものと位置づけています。

プロジェクト開始時には、アジャイルマニフェストの考え方やアジャイル開発の基本的な進め方、用語などをチーム全員が共有するために、研修を活用するのがとても効果的です。チームの軸となる考え方が定着しやすくなりますし、その後のプロジェクトの進め方やコーチングも研修の知識を前提にできるのでコミュニケーションが円滑になります。研修メニューにある「アジャイルマインドとアジャイルの実践基礎」は、基礎から応用まで8時間のコースで、アジャイルの考え方を理解してからアジャイルの仕組みを学ぶコースです。アジャイルマインドを理解せずイテレーションやふりかえりといったアジャイルの仕組みだけを学んでも、「変わったやり方だな」で終わってしまいますが、アジャイルマインドを理解してからテクニックを学べば、両方が頭に残ります。

基礎研修で学び、実際にアジャイル開発に取り組み始めると、プロダクトオーナー、スクラムマスター、開発チームそれぞれの立場で課題や困りごとが出てきます。世の中ではアジャイル研修といえば「スクラムマスター」に焦点を当てたものが多いですが、応用研修コースでは「プロダクトオーナー」「スクラムマスター」「開発チーム」それぞれのロールごとに、演習中心のより実践的なコースを設けています。
「アジャイルマインドとアジャイルの実践基礎」以外は全てお客さまからの要望で開発したコースです。アジャイルチーム支援の実績があるアジャイルコーチの知見とノウハウが詰まっています。実際にご提供するときには、アジャイルコーチがお客さまの業種やニーズに合わせて講義と演習を行いますので、アジャイルチームの改善に直結します。ご興味のある方はぜひお問い合わせください。

さいごに　アジャイルは実は大変。なのになぜ続けているのか

「はじめに」でも述べたように、私は2008年にアジャイルに出会って以来、50を超えるアジャイル案件に関わってきました。

その中で感じたのは、どれ１つ同じやり方で乗り切れた案件はなかったということです。どの案件にも案件なりの特徴があり、唯一無二の正解はありませんでした。たとえば、たいていの場合はスクラムマスターとプロダクトオーナーを兼務するのはNGなのですが、このデメリットを理解した上でそのデメリットが顕在化しないように気をつけながら、あえて兼務することでうまくいった案件もありました。

常にチームメンバーの対話が行われ、計画は頻繁に見直され、「何のために何を作るのか」を問い続けるアジャイルは決して楽ではありません。

たとえば開発チーム。これまでのように計画にただ従って、指示待ちでやり過ごすことが難しくなります。何でも短いサイクルで繰り返し実施していくのでスピード感はありますが、体だけではなく頭も心も結構疲れます。遅れてきたらとりあえず残業すれば何とかなるや、というやり方は通用しなくなります。自分たちで見積もり、計画し、進捗管理し、品質管理してイテレーションのゴールを目指すので、今までよりもやることが大きく増えます。

たとえばプロダクトオーナー。これまでのように最初（要件定義と初期の設計フェーズ）と終わり（受け入れ試験）だけでよかった開発側とのコミュニケーションをより濃密に取る必要があるため、プロダクトオーナーの時間も確実に奪われます。短期間でプロダクトに関する決断をする必要があるので、常に周囲のステークホルダーと連携して即断即決できる状況を維持していく必要があります。今までのように開発側に丸投げしたいという意識ではとても務まるものではありません。

たとえばスクラムマスター。残念ながらまだアジャイルをちゃんと理解できている人が少ないので、アジャイルチームやステークホルダーにアジャイルを伝えていくのが大変です。また、リーダーシップのやり方もコマンドリーダーシップ型からサーバントリーダーシップ型へ転換が必要です

し、その分メンバー各個人と向き合う必要があるので、やっぱり楽ではありません。

では、なぜ、決して楽ではないアジャイルを続けているのでしょうか？

私が思うに、そこには「楽しさ」があるからだと思います。

開発チームは、与えられた仕様とスケジュールに従って言われたことだけやるのではなく、定期的に成果物をプロダクトオーナーと共有し、それが実際に利用されて成果を上げているのを見ることで、「自分の仕事が誰かの役に立っている」と実感できます。

スクラムマスターも特にふりかえりを通じてチームが成長していく様を間近で感じられ、チームに貢献している実感を沢山味わえます。

プロダクトオーナーも、イテレーションごとに動く成果物を見て、自分のプロダクトが着実に成長していると確認できます。

アジャイルには、全てがオーダーメードしかなかった、使う人と作り手が一体となった昔ながらのモノづくりの楽しさがあるのです。

全員が対等で、皆で話し合いながら短期間で成果物がどんどん出てくるアジャイルは、大変だけど、楽しい。アジャイルの力で、多くの人に働く楽しさを感じてほしいと願っています。

2023年７月

渡会　健

［著者］
渡会 健（わたらい たけし）
株式会社マネジメントソリューションズ Digital事業部 アソシエイト・ディレクター
PMI日本支部 アジャイル研究会 元代表
IPA アジャイルWG メンバー
三菱スペース・ソフトウエア株式会社と株式会社アイ・ティ・イノベーションにて、ウォーターフォール＆PMに約20年従事。2008年にアジャイルに出会い、中堅SIerである株式会社アドヴァンスト・ソフト・エンジニアリングにて約10年間アジャイルを実践。その後アジャイルコーチに転身し、株式会社豆蔵を経て現職に至る。アジャイル歴約15年で50案件以上のアジャイルプロジェクト実践経験を持つ。

現場で見つけた144のヒント
アジャイルに困った時に読む本

2023年８月22日　第１刷発行

著　者——渡会 健
発行所——ダイヤモンド社
〒150-8409　東京都渋谷区神宮前6-12-17
https://www.diamond.co.jp/
電話／03･5778･7235（編集）　03･5778･7240（販売）

ブックデザイン—近藤由子（VPデザイン室）
製作進行／DTP—ダイヤモンド・グラフィック社
編集協力——板垣朝子、稲田敏貴
印刷／製本—ベクトル印刷
編集担当——花岡則夫、寺田文一

ISBN 978-4-478-11670-8